sur la piste
des Indiens

Jouet
arapaho

Coiffure
de chaman
tlingit

Poupée
dakota
en habit
traditionnel

Sac à pipe
dakota

Lunettes
de soleil
des Inuits
du Groenland

Gilet dakota
brodé
de perles

Ceinture
choctaw

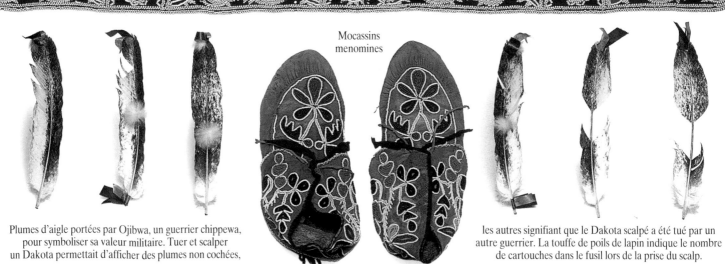

Mocassins
menomines

Plumes d'aigle portées par Ojibwa, un guerrier chippewa,
pour symboliser sa valeur militaire. Tuer et scalper
un Dakota permettait d'afficher des plumes non cochées,

les autres signifiant que le Dakota scalpé a été tué par un
autre guerrier. La touffe de poils de lapin indique le nombre
de cartouches dans le fusil lors de la prise du scalp.

Coiffure
winnebago

sur la piste
des Indiens

par

David Murdoch

en association avec le
American Museum of Natural History

Photographies originales de Lynton Gardiner

Parure de chevelure
tlingit faite avec des
dents de sanglier

Paire de
calumets
omahas

GALLIMARD

Casse-tête arapaho
de la danse
des Esprits

Casse-tête
en pierre
penobscot

Sifflet
dakota

Comité éditorial

Londres :
Simon Adams, Céline Carez, Marion Dent,
Julia Harris, Sarah Moule, Catherine Semark,
Vicky Wharton
Conseillers :
Stanley A. Freed, Scarlett Lovell,
Mary Ann Lynch, Laila Williamson

Paris :
Christine Baker, Catherine Destephen,
Manne Héron, Jacques Marziou

Edition française préparée par
Philippe Jacquin, historien de l'Amérique,
Université de Lyon III

Publié sous la direction de

Peter Kindersley,
Jean-Olivier Héron
et
Pierre Marchand

Casse-tête
apache

ISBN 2-07-058691-X

Casse-tête
dakota

Blague à tabac
apache

Cravache
navajo

Arc et flèches hopis

SOMMAIRE

Crâne de bison utilisé par les Blackfeet pour la cérémonie de la danse du Soleil

LES INDIENS ARRIVENT AUX AMÉRIQUES

Qui sont les premiers Américains ? Les archéologues disent que des hommes sont venus de Sibérie dans le nouveau continent à l'époque glaciaire, en passant par le détroit de Béring, alors gelé, mais ils ne sont pas sûrs de l'époque de cette migration. Certains estiment qu'elle eut lieu vers 12 000 av. J.-C., d'autres pensent, suivant de nouvelles hypothèses, qu'elle remonte à 40 000 ans. Les Indiens actuels croient à leurs mythes, qui placent leur origine dans le continent américain. En tout cas, des fouilles archéologiques attestent que les premiers habitants se sont adaptés à l'environnement et au climat, évoluant de l'âge de la pierre à des communautés d'agriculteurs et d'artisans.

Béringie

Corridor de glace

Immense glacier

THÉORIE DES MIGRATIONS
Pendant l'ère glaciaire, d'énormes quantités d'eau gelèrent, et le détroit de Béring se transforma en un vaste pont de glace dénudé, la Béringie, qui reliait l'Alaska à la Sibérie. Les archéologues disent qu'il y a 12 000 ans ce passage permit aux Indiens de passer d'un continent à l'autre, vers des régions plus chaudes.

Carte de l'Amérique du Nord montrant la première migration à l'époque glaciaire, depuis la Sibérie, par la Béringie.

Terre découverte

Un atlatl, une arme dont le nom, en langue aztèque, signifie « lanceur de javelot »

Petite pointe préhistorique de la culture Clovis

Pointe préhistorique de la culture Folsom

Pointe de la culture Clovis, longue de 13 cm

Le lest en pierre est là pour accentuer la puissance du jet.

Le manche, en bois, mesure 1 m de long.

CHASSEURS DE L'ÂGE GLACIAIRE
La présence humaine à l'époque glaciaire en Amérique est attestée par la découverte, en 1926, à Folsom, au Nouveau-Mexique, de pointes en pierre taillées avec soin, qui datent de 10 000 av. J.-C. En 1932, d'autres pointes plus anciennes (12 000 av. J.-C.) sont trouvées près de Clovis, dans le même État.

Poignée en cuir avec deux boucles pour glisser les doigts

PLUS FORT ET PLUS LOIN
Il y a 10 000 ans, des chasseurs (de mammouths, de mastodontes et d'ancêtres du bison) comme ceux de Folsom, au Nouveau-Mexique, inventèrent une arme de jet aujourd'hui nommée atlatl. Elle consiste en un morceau de bois dans lequel vient s'emmancher une pointe de javelot. Plus le manche est long, plus le lancer est puissant.

Pointe de javelot, en ardoise, de Nouvelle-Angleterre

Pointe en cuivre, de la région des Grands Lacs

Pointe en pierre taillée, du Tennessee

OÙ SONT LES MAMMOUTHS ?
A la fin de l'époque glaciaire, les gros animaux, tel le mammouth, disparurent, peut-être à cause d'un changement de l'environnement, peut-être parce qu'ils étaient trop chassés. Entre 5000 et 1000 av. J.-C., les peuples de l'Est s'adaptèrent à la chasse en forêt. Ils devinrent sédentaires, fabriquèrent des outils élaborés (comme les pointes de javelot) et vécurent en sociétés complexes.

Pointe en cuivre, de la région des Grands Lacs

Spatule
anasazi en os
poli de daim

*Incrustations
de turquoise
dans du
jais*

UNE SÉCHERESSE FATALE

Les Anasazis (« les anciens ennemis » en navajo) ont vécu sur la frontière de l'actuel Arizona et du Nouveau-Mexique. Jusqu'à 1100 apr. J.-C., ils ont construit de vastes bâtiments en pierre et en argile, baptisés plus tard pueblos. Dans les années 1200, leur culture a disparu, peut-être en raison d'une très longue sécheresse.

Ornement
en jais
découvert
à Pueblo
Bonito

*Œil en
turquoise*

La grenouille symbolise l'eau dans la culture anasazi.

ÉMINENTS ARCHITECTES

Les Anasazis étaient de remarquables architectes. Leurs constructions témoignent d'une civilisation complexe. Ils fabriquaient des poteries intéressantes et étaient très habiles dans le travail de la turquoise (ci-dessus).

LES HABITANTS DU DÉSERT

Les Hohokams, dont le nom signifie en pima « ceux qui ont disparu », vivaient dans le désert près de la rivière Gila, en Arizona, entre 500 av J.-C. et 1500 de notre ère. Excellents irrigateurs, pacifistes, cultivateurs de maïs, ils construisirent des villes et furent de remarquables artisans qui créèrent de jolis bijoux (ci-contre) et de belles poteries (ci-dessous).

Paire de bracelets
hohokams en
coquille de clam

*Poterie rouge
hohokam*

LA TERRE ET LE FEU

Les Hohokams, ancêtres des Papagos et des Pimas, étaient vraisemblablement issus d'une grande civilisation méso-américaine. Leurs premières poteries rappellent celles des anciens Mexicains. Vers 400 apr. J.-C., ils fabriquaient une poterie étonnante, à deux couleurs, rouge sur fond ocre. Les Hohokams brûlaient leurs morts et plaçaient les cendres dans des urnes qu'ils enterraient. Un peu plus tard, ils dessinèrent des motifs complexes incluant animaux, figures humaines et dieux.

*Oiseau stylisé avec
trois jambes
humaines*

Poterie mimbre. Placée dans une tombe, on la « tuait » rituellement en perforant sa base pour que l'esprit s'échappât.

LES POTIERS DU SUD

Les Mogollons (du nom de leur territoire à la frontière de l'Arizona et du Nouveau-Mexique) vivaient dans les vallées isolées des montagnes entre 300 av. J.-C. et 1300 de notre ère. Les Mimbres, un groupe apparenté vivant près de la Mimbres River, au Nouveau-Mexique, ont réalisé une extraordinaire poterie noir et blanc vers 700 apr. J.-C. Plus tard, les artistes ont créé un style où se mélangent motifs géométriques et animaux, oiseaux et hommes.

Plume d'aigle surmontée de crins de cheval

UN MONDE EN MUTATION, DES TRIBUS EN CONFLIT

Vers 1500, au Canada et aux États-Unis vivaient sept millions d'Indiens. Il y a plus de 11 500 ans, les descendants des premiers émigrants sibériens s'étaient divisés en plus de 300 tribus réparties surtout à l'est du Mississippi, en Californie et dans le Nord-Ouest. Ces peuples vécurent de différentes manières, développant un bel artisanat et exploitant au maximum les ressources naturelles. Puis des tribus migrèrent, empiétant sur des territoires voisins, d'où conflits. L'arrivée des Européens provoqua des bouleversements catastrophiques pour les Indiens : perte de territoires, déclin de la population et choc culturel.

LA TERREUR DES PLAINES

Au XVIe siècle, les Cheyennes n'étaient pas de redoutables guerriers des Plaines. Ils étaient installés dans des villages du Minnesota où ils vivaient de l'agriculture et de la chasse. Au début du siècle suivant, ils migrèrent vers l'ouest, abandonnant l'agriculture, et devinrent des nomades chasseurs de bisons. A partir de ce moment, une coiffure de guerre en plumes (à gauche) devint l'attribut d'un grand guerrier.

Tissu rouge, perles de verre et disque en métal décorent la coiffe.

Coiffure cérémonielle de guerre du chef cheyenne White Eagle

Pompon en fourrure

Des perles de verre et un disque en métal ornent la coiffe apache en peau de daim.

Plume d'aigle

APACHES (PEU) ENGAGEANTS ?

Les Apaches s'installèrent dans le Sud-Ouest à la fin du XVe siècle. Ils auraient migré du Canada cinquante ans plus tôt. L'explorateur espagnol Francisco Vazquez de Coronado (1510-1554) rencontra des Apaches chiricahuas en 1540 et les trouva sympathiques, mais, plus tard, les Espagnols changèrent d'avis !

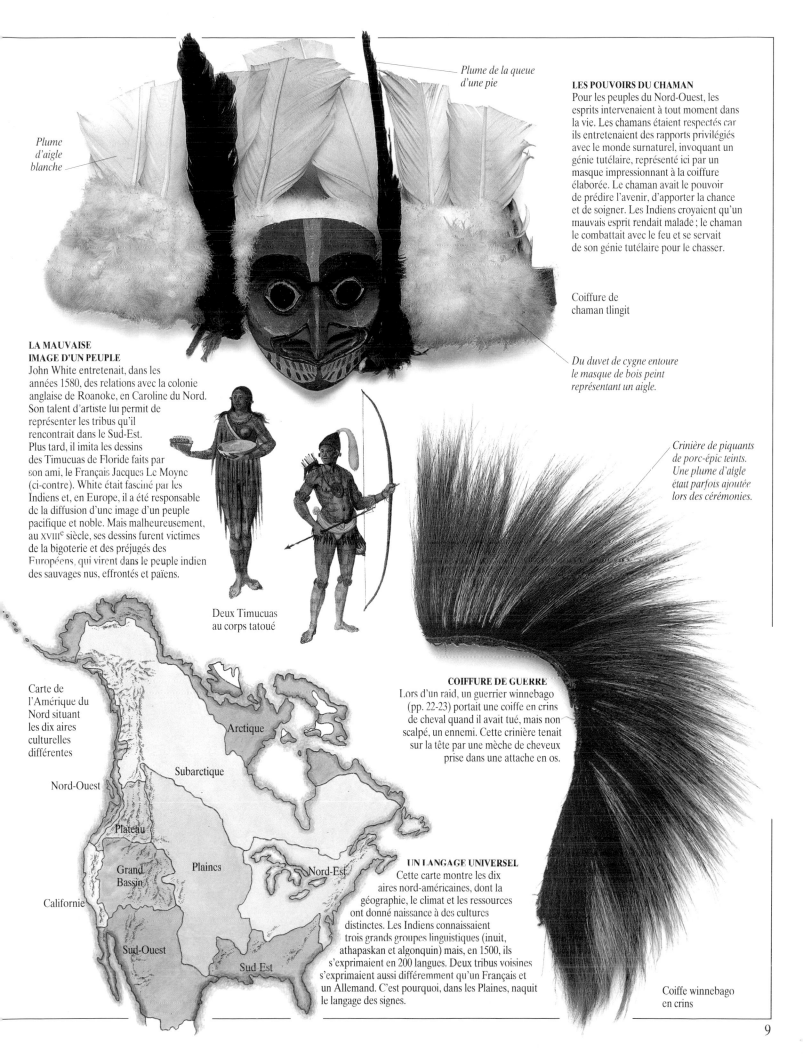

Plume de la queue d'une pie

Plume d'aigle blanche

LES POUVOIRS DU CHAMAN
Pour les peuples du Nord-Ouest, les esprits intervenaient à tout moment dans la vie. Les chamans étaient respectés car ils entretenaient des rapports privilégiés avec le monde surnaturel, invoquant un génie tutélaire, représenté ici par un masque impressionnant à la coiffure élaborée. Le chaman avait le pouvoir de prédire l'avenir, d'apporter la chance et de soigner. Les Indiens croyaient qu'un mauvais esprit rendait malade ; le chaman le combattait avec le feu et se servait de son génie tutélaire pour le chasser.

Coiffure de chaman tlingit

Du duvet de cygne entoure le masque de bois peint représentant un aigle.

LA MAUVAISE IMAGE D'UN PEUPLE
John White entretenait, dans les années 1580, des relations avec la colonie anglaise de Roanoke, en Caroline du Nord. Son talent d'artiste lui permit de représenter les tribus qu'il rencontrait dans le Sud-Est. Plus tard, il imita les dessins des Timucuas de Floride faits par son ami, le Français Jacques Le Moyne (ci-contre). White était fasciné par les Indiens et, en Europe, il a été responsable de la diffusion d'une image d'un peuple pacifique et noble. Mais malheureusement, au XVIIIᵉ siècle, ses dessins furent victimes de la bigoterie et des préjugés des Européens, qui virent dans le peuple indien des sauvages nus, effrontés et païens.

Deux Timucuas au corps tatoué

Crinière de piquants de porc-épic teints. Une plume d'aigle était parfois ajoutée lors des cérémonies.

Carte de l'Amérique du Nord situant les dix aires culturelles différentes

Arctique

Subarctique

Nord-Ouest

Plateau

Grand Bassin

Plaines

Nord-Est

Californie

Sud-Ouest

Sud-Est

COIFFURE DE GUERRE
Lors d'un raid, un guerrier winnebago (pp. 22-23) portait une coiffe en crins de cheval quand il avait tué, mais non scalpé, un ennemi. Cette crinière tenait sur la tête par une mèche de cheveux prise dans une attache en os.

UN LANGAGE UNIVERSEL
Cette carte montre les dix aires nord-américaines, dont la géographie, le climat et les ressources ont donné naissance à des cultures distinctes. Les Indiens connaissaient trois grands groupes linguistiques (inuit, athapaskan et algonquin) mais, en 1500, ils s'exprimaient en 200 langues. Deux tribus voisines s'exprimaient aussi différemment qu'un Français et un Allemand. C'est pourquoi, dans les Plaines, naquit le langage des signes.

Coiffe winnebago en crins

LE CHAMAN FRÉQUENTE LE MONDE DES ESPRITS

Pour les Indiens, le monde invisible des esprits régnait partout, à l'intérieur des animaux, des plantes, et même dans certains lieux. Le chaman, homme ou femme, entretenait un rapport particulier avec ces puissances, et donc agissait sur la nature, surtout en guérissant les malades. Comme il se servait d'herbes médicinales, les Européens le baptisèrent homme-médecine, mais pour les Indiens, toute puissance spirituelle était médecine. La maladie était traitée de deux façons. Le guérisseur, lors de cérémonies dramatiques, convainquait le patient de chasser son mal. Il utilisait aussi des médicaments. Les Cinq Tribus du Sud-Est connaissaient la caféine et l'acide salicylique (la base de l'aspirine). Mais le chaman, tout comme le médecin blanc, était impuissant devant les grandes épidémies, telle la variole qui contribua, avec les guerres, à réduire la population indienne de sept millions à 400 000 à la fin du XIXᵉ siècle.

Pipe-tonnerre

Le fourneau est fixé là.

Queue de renard

Peinture de George Catlin représentant Old Bear, un chaman mandan

Cordelette en tendon

Manteau d'ours orné de peaux d'animaux et de dépouilles d'oiseaux

VIEIL OURS
A l'instar des autres tribus des Plaines, les Mandans croyaient que les visions donnaient du pouvoir ; ainsi, l'homme s'isolait, priait, jeûnait à la limite de l'hallucination. Seule la rencontre avec un esprit était le signe d'un don pour le chamanisme. Le costume d'Old Bear (ci-dessus) et les objets qui l'accompagnent furent suggérés dès la première révélation ; ils furent alors censés receler un pouvoir.

AU BOUT DU PINCEAU
L'Américain George Catlin (1796-1872) souhaita fixer à jamais la vie des Indiens avant qu'ils ne fussent détruits par les Blancs. Il entreprit un périple dans l'Ouest (1830-1836), gagna la confiance de 48 tribus et réalisa plus de 500 peintures. Ce portrait nous montre un chaman blackfoot en plein rituel de guérison. Habillé d'une peau d'ours dont la tête forme un masque, il danse autour du patient.

Bâton sculpté quinault, utilisé par le chaman lors de rituels de guérison

CHAMAN, J'AI MAL À L'ESTOMAC !
Les Hidatsas, une tribu des Plaines, soignaient les indigestions et autres maux d'estomac par massage ou utilisation d'un « pousseur d'estomac » (ci-dessus). L'extrémité renflée de l'instrument, souvent en bois de cèdre blanc, était frottée contre le ventre du patient allongé.

Tête d'otarie à deux gueules

Os d'élan

ESPRIT, ES-TU LÀ ?
Comme toutes les tribus du Nord-Ouest, les Quinaults croyaient en une multitude d'esprits qui intervenaient constamment dans le monde humain. Le chaman tenait ses pouvoirs d'un génie tutélaire. Lorsqu'il officiait pour chasser du malade un esprit mauvais, il tenait en main une représentation sculptée de son génie.

POUR PIÉGER UNE ÂME
Les Tsimshians, comme les autres tribus du Nord-Ouest, pensaient que la maladie venait d'un esprit malin ou bien de la perte de l'âme. C'est pourquoi le chaman recherchait l'âme errante, qu'il persuadait de rentrer dans le « piège à âmes », un instrument en os ou en ivoire. Il pouvait alors la réinsuffler au malade. Parfois, souffler dans le piège permettait de chasser la maladie.

Incrustation de coquille d'ormeau

Des plumes teintes en rouge sont fixées de place en place.

Le tuyau de la pipe est entièrement enveloppé de fils de cuivre.

Tuyau en bois

Grelots dont le son imite le tonnerre pendant la cérémonie

Houppe de plumes, de poils d'animaux et fil de perles

Fourrure décorative

Motifs géométriques rouge, jaune, bleu et vert, habituels chez les Dakotas

Plume d'aigle

Pipe-tonnerre blackfoot

Racines enveloppées de papier

Sachet en mousseline contenant des herbes et fermé avec un tendon

Lacet de cuir brut pour attacher le rabat

Les côtés, noirs, sont cousus de fil rouge.

Sac-médecine dakota et herbes médicinales

LE SIGNE ORIGINEL DU TONNERRE

La pipe-tonnerre était vénérée par les Blackfeet. Au premier orage du printemps, l'objet était sorti de son enveloppe sacrée pour être offert à l'esprit du Tonnerre. Le but de la cérémonie était de demander la protection contre la foudre, très fréquente dans les plaines, et du pouvoir pour soigner. La possession d'une telle pipe conférait beaucoup de prestige, mais le propriétaire devait en faire profiter les autres.

C'EST DANS LE SAC

Le sac-médecine d'un chaman des Plaines contenait des objets particuliers comme des crécelles, des queues de daim, des dépouilles d'oiseaux, qui chassaient les mauvais esprits. Il renfermait également des herbes médicinales. Ce sac dakota du début du XXᵉ siècle contient des herbes pour soigner les maux de tête, d'oreille, d'estomac, la douleur, les piqûres, les saignements et autres désagréments. Les plantes, réduites en poudre, étaient administrées en tisanes.

ADIEU, LOINTAIN NORD-EST !

Terre de contrastes, le Nord-Est boisé s'étend de la vallée du Saint-Laurent à l'actuelle Caroline du Nord et jusqu'à l'ouest du Mississippi. Un environnement généreux offrait gibier et poisson, et favorisait les cultures, sauf dans l'extrême Nord, trop froid. Au nord, les Penobscots et les Malecites, établis au bord de lacs et de rivières, avaient inventé un canoë que tous leur enviaient. Au début du XVIIᵉ siècle, par le commerce de la fourrure avec les Européens, ils découvrirent idées et objets nouveaux. Mais ces peuples furent entraînés à lutter contre les Européens au XVIIIᵉ siècle, puis obligés à prendre parti lors de la guerre de l'Indépendance américaine (1776-1783) et du conflit anglo-américain de 1812. Les affrontements répétés épuisèrent ces tribus, qui furent chassées par les colons en marche vers l'ouest.

Carte de l'Amérique du Nord situant le Nord-Est : Nouvelle-Angleterre, bas Saint-Laurent, vallée de l'Ohio, bassin des Grands Lacs et façade atlantique

LA PÊCHE À LA TORCHE
Les Micmacs de la Nouvelle-Ecosse étaient d'habiles pêcheurs qui utilisaient hameçons, lignes, arcs, nasses et javelots. Ils aimaient pêcher la nuit, à la lumière de torches en écorce de bouleau. Attirés par la clarté, les poissons montaient à la surface où ils étaient harponnés par des Indiens debout dans les canoës.

Harpon micmac, composé d'un manche en bois sur lequel trois pointes sont fixées solidement à l'aide d'une cordelette.

Pointe centrale en métal pour éperonner le poisson

UN POUR TOUS ?
En 1675, le « roi Philip » (ou Metacomet), chef des Wampanoags, indigné du comportement des colons anglais, attaqua de nombreux établissements coloniaux de la Nouvelle-Angleterre. Le soulèvement échoua car le chef ne réussit pas à unir toutes les tribus. Sinon, les Blancs auraient été décimés.

Une cordelette fixe la lame au manche en bois en permettant une meilleure prise.

QUEL BOULEAU !
L'écorce de bouleau était utilisée pour fabriquer canoës, récipients, wigwams (huttes) et comme supports d'écriture. Sur les bords des morceaux d'écorce décollés du tronc à l'aide d'un couteau (ci-dessus, un exemple penobscot), des trous étaient percés avec une alène. Les morceaux étaient cousus ensemble avec des racines. On réalisait les motifs à deux tons en grattant la couche foncée de l'écorce pour révéler la couleur claire en dessous.

Tenaille en bois pour empêcher le poisson de se dégager

Canoë malecite vu de dessus (à droite) et vu de côté (ci-dessous)

Les canoës aux extrémités basses permettent une plus grande stabilité en eau calme. Ceux dont la poupe et la proue sont très relevées protègent des embruns des eaux tumultueuses.

Pour être cousus plus facilement ensemble, les morceaux d'écorce doivent être pris dans le sens de la longueur.

Rame longue de 1,5 m

Le canoë mesure plus de 7,5 m de long.

*Franges
décoratives*

*Les fleurs en
perles dénotent
l'influence
européenne.*

INFLUENCES EUROPÉENNES

Avant l'arrivée des Européens, les vêtements étaient
en peau et décorés de piquants de porc-épic teints ou de
symboles peints. Les Blancs apportèrent des matériaux
et des motifs nouveaux, tels la laine tissée, les perles de
verre, les vêtements bien coupés et les pantalons. Les
Indiens du Nord-Est adoptèrent nombre de ces modèles.
Cette veste penobscot en daim montre l'influence
européenne par sa bonne coupe et ses broderies soignées
en perles de verre.

*La pierre du
casse-tête est
encastrée dans
le manche en
bois.*

CHASSE PRÉVOYANTE

Malgré son adresse, le
chasseur de la forêt n'était
jamais certain de réussir.
Aussi, avec l'aide d'amulettes,
il demandait le secours des
esprits tout en apaisant celui
de l'animal tué. Son arme
principale était l'arc. Si la
flèche ne touchait pas
mortellement la bête,
le casse-tête l'achevait.

*La traverse est
taillée dans un
rondin de
cèdre blanc.*

ET VOGUE LE CANOË

Les meilleurs canoës étaient en écorce de
bouleau blanc, une essence que l'on trouvait seulement au
Canada et dans le nord-est des Etats-Unis. Le cèdre, dont était
faite l'armature, était travaillé à l'aide de coins et de marteaux.
Le bâti était couvert de grandes feuilles d'écorce solidement
fixées au cadre avec des racines, l'étanchéité étant assurée par
de la résine de pin noir. Très facile à porter, l'embarcation
supportait jusqu'à 1 800 kg de marchandises. Elle fut adoptée,
au XVIIᵉ siècle, par les explorateurs et les trappeurs.

À PAS DE PEAU

Les Penobscots, comme tous les peuples
du Nord-Est, étaient chaussés de
mocassins en daim, généralement
décorés. L'influence des Blancs se marqua
par l'adoption de perles en verre colorées
et de motifs floraux. Ces derniers étaient
imités de modèles européens et se
répandaient partout dans l'habillement,
dans le Nord-Est. Hommes et femmes
portaient le même style de souliers.

LA PUISSANTE LIGUE DES IROQUOIS

Au début du XVIIe siècle naquit la puissance politique et militaire la plus efficace du continent. Cinq nations, les Mohawks, les Onondagas, les Senecas, les Oneidas et les Cayugas, mirent fin à leurs luttes et formèrent la Ligue des Iroquois. Chaque tribu conservait son propre gouvernement, mais les décisions collectives étaient prises par le Grand Conseil. Bien que les membres en fussent des hommes, ils étaient choisis par des femmes âgées qui avaient aussi le pouvoir de les renvoyer. Établie pour faire la paix, la ligue se révéla une formidable machine de guerre mobilisant tous les guerriers des tribus. Elle domina le Nord-Est et, jusqu'au milieu du XVIIIe siècle, tint une place essentielle aux côtés des Anglais contre les Français.

ARTISAN DE PAIX
Fils d'un commerçant hollandais et d'une Seneca, Cornplanter (1740 ?-1836) lutta contre les Américains pendant la guerre de l'Indépendance (1776-1783). Devenu chef incontesté des Senecas, il se fit artisan de la paix et signa de nombreux traités.

Morceau d'éolithe remplacé plus tard par une lame d'acier

QUEL CASSE-TÊTE !
Pour les Iroquois, la guerre consistait en opérations rapides. Les armes étaient l'arc et le casse-tête. Mais l'entrée en lice des trappeurs européens bouleversa cette façon de se battre. En 1649, la ligue fut armée par les Hollandais pour combattre les Hurons et les Eriés, qui soutenaient les Français.

TORTUE MUSICIENNE
Tambours et crécelles étaient les instruments de musique favoris des Mohawks comme de toutes les tribus de l'Est. La crécelle était faite d'une carapace de tortue remplie de cailloux, assortie d'un manche en bois.

Crécelle mohawk faite d'une carapace de tortue

UNE VISION DE LA PAIX
A la fin du XVIe siècle, un visionnaire huron, Deganawidah, rêva de la paix entre toutes les tribus iroquoises. Assisté par son disciple mohawk, Hiawatha, il entreprit de convaincre les Iroquois de mettre fin à la guerre et de s'unir. Mais *Hiawatha*, un célèbre poème d'Henry Longfellow (1807-1882), ne donne aucun détail sur le charisme et l'habileté diplomatique du héros.

Le wampum peut être long de plusieurs mètres.

Perles de coquillages pourpres, deux fois plus chères que les blanches

LA COULEUR POURPRE
La ceinture de coquillages tubulaires pourpre et blanc, appelée wampum, était offerte lors des mariages : elle apaisait la douleur du deuil et invitait à faire la paix ou à négocier une alliance militaire. La couleur blanche était celle de la paix ; la noire, celle des événements tristes ; la pourpre, la plus appréciée. Comprenant l'attachement des Indiens à cet objet symbolique, les Européens les fabriquèrent en perles de verre et s'en servirent comme monnaie dans le commerce. Mais ils abusèrent de cette contrefaçon jusqu'à lui faire perdre totalement sa valeur.

Casse-tête iroquois en forme, typique, de patte postérieure de lapin

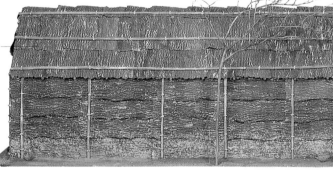

Mur recouvert d'écorce d'orme

Maquette de longue maison à quatre feux pour huit familles

MASQUES INSOLITES, MÉDECINE MYSTÉRIEUSE

La Société des Faux Visages réunissait des guérisseurs qui soignaient surtout les maux de tête et les rhumatismes. Les cérémonies avaient lieu chez les malades ; elles se déroulaient rapidement en raison de la grande efficacité des Faux Visages. Une fois guéri, le patient se trouvait obligé de rejoindre la Société pour aider les autres. Au printemps et à l'automne, ces guérisseurs visitaient chaque maison iroquoise afin de les purifier et d'exorciser les maladies.

Œil en métal

Le masque était sculpté à même le tronc d'un tilleul sur pied. Lorsqu'il était achevé, on le détachait de l'arbre pour l'évider et le peindre.

Pour donner une expression au masque, l'Indien s'inspirait d'un visage vu en rêve. Ici, la bouche est souriante ; à gauche, elle est grimaçante.

Faux Visage cayuga

Les tiges de maïs sont accrochées à la charpente du toit pour sécher.

Dans une longue maison, toutes les familles étaient apparentées par les femmes.

Faux Visage seneca

UNE MAISON TOUT EN LONGUEUR

Les Iroquois habitaient des maisons longues de 45 m et larges de 8 m en moyenne, dont la charpente en bois était recouverte d'écorce d'orme. Les bas-côtés étaient occupés par des mezzanines basses compartimentées où dormaient une douzaine de familles. Au centre se trouvaient plusieurs foyers pour la cuisine. Des greniers à maïs étaient creusés dans le sol des maisons et dans le village.

Des crins de cheval formaient la chevelure des Faux Visages

15

« LES TROIS SŒURS » NOURRISSENT LES INDIENS

Le maïs, c'était la vie pour toutes les tribus de l'Est. Il satisfaisait soixante-quinze pour cent des besoins alimentaires. Les Iroquois en connaissaient quinze variétés. Sa culture n'exigeait pas beaucoup de travail, et l'entretien se réduisait à éloigner les oiseaux avant la moisson. D'autres plantes étaient associées au maïs. Les haricots grimpaient autour de sa tige, et les courges, plantées à son pied, empêchaient les mauvaises herbes de pousser et conservaient une certaine humidité au sol. Les Iroquois croyaient que ces plantes possédaient un esprit et ils les nommaient « les trois sœurs ». Séchés et stockés, maïs, haricots et courges nourrissaient les Indiens, qui pouvaient alors s'adonner à la chasse, au commerce, à la guerre et à la religion.

PLAT DE NOVEMBRE
Mûre à l'automne, la citrouille est un excellent légume. Les colons anglais la découvrirent grâce aux Indiens. Depuis lors, elle est servie, aux Etats-Unis et en Angleterre, sous forme de tarte le jour de Thanksgiving.

Récipient iroquois en bois

Haricots secs

HARICOTS ÉTERNELS
De nombreuses variétés de haricots existent plus ou moins naturellement sur le continent, toutes d'excellente qualité. Ces légumineuses sont une source nutritive importante en raison de la grande quantité de protéines et de vitamines (notamment la vitamine B, essentielle pour convertir l'amidon en énergie). Autre avantage, les haricots secs se conservent des années sans pourrir.

Les Sauks et les Fox plaçaient leurs courges séchées dans des paniers échangés avec les Ojibwas.

Pilon seneca en bois

Mortier mohawk fait dans un tronc creusé au feu

QUELLE COURGE !
La courge donnait tout l'été. Dégustée fraîche, c'est une bonne source de vitamine C, essentielle pour la santé. Ces cucurbitacées se conservaient très bien séchées soit au soleil, coupées en lanières ou en rondelles, soit à l'intérieur de la maison où elles étaient suspendues entières. Elles étaient ensuite entreposées avec le maïs et les haricots.

POUR UN BOL DE FARINE
Les Iroquoises détachaient les grains de l'épi de maïs à l'aide d'une mâchoire de daim. Pour ôter la balle, elles les mettaient à bouillir dans un mélange d'eau et de cendres, puis les passaient au van. Une fois les grains séchés, elles les réduisaient en farine par un broyage laborieux au pilon dans un mortier (à gauche).

Panier de moisson iroquois

Epis séchés de maïs de la tribu oneida

DÉLICES DE MAÏS
Séché, le maïs était suspendu dans les maisons en vue des mois d'hiver. Quelques épis étaient égrenés et les grains gardés dans des boîtes ou des greniers souterrains. On le consommait en porridge, ou grillé, pilé et dégusté avec du sirop d'érable, du miel ou de la graisse.

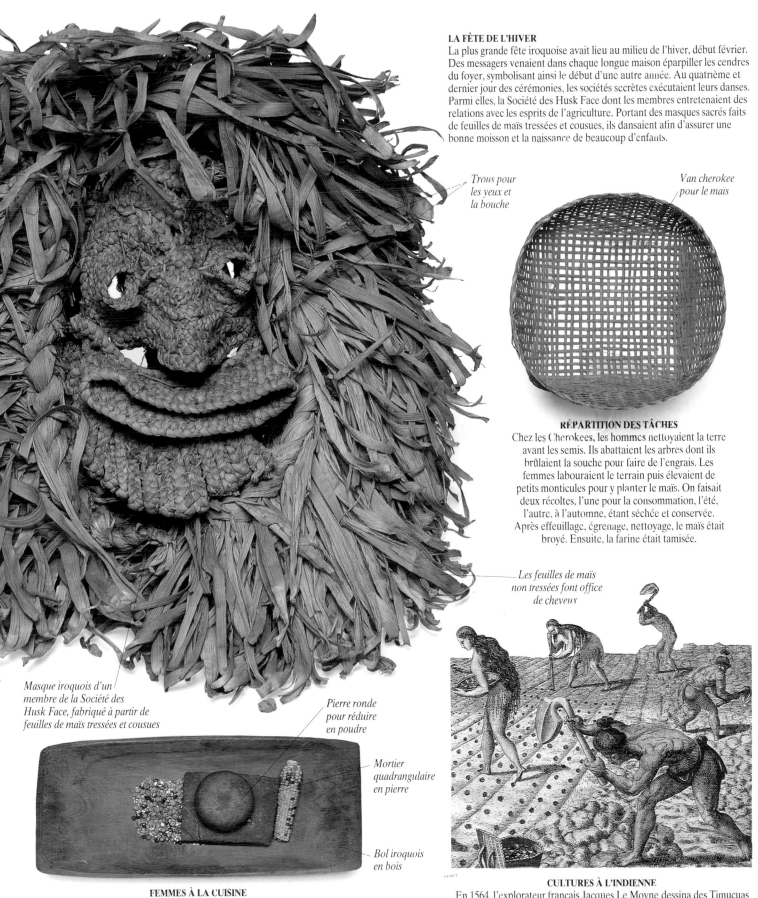

LA FÊTE DE L'HIVER
La plus grande fête iroquoise avait lieu au milieu de l'hiver, début février. Des messagers venaient dans chaque longue maison éparpiller les cendres du foyer, symbolisant ainsi le début d'une autre année. Au quatrième et dernier jour des cérémonies, les sociétés secrètes exécutaient leurs danses. Parmi elles, la Société des Husk Face dont les membres entretenaient des relations avec les esprits de l'agriculture. Portant des masques sacrés faits de feuilles de maïs tressées et cousues, ils dansaient afin d'assurer une bonne moisson et la naissance de beaucoup d'enfants.

Trous pour les yeux et la bouche

Van cherokee pour le maïs

RÉPARTITION DES TÂCHES
Chez les Cherokees, les hommes nettoyaient la terre avant les semis. Ils abattaient les arbres dont ils brûlaient la souche pour faire de l'engrais. Les femmes labouraient le terrain puis élevaient de petits monticules pour y planter le maïs. On faisait deux récoltes, l'une pour la consommation, l'été, l'autre, à l'automne, étant séchée et conservée. Après effeuillage, égrenage, nettoyage, le maïs était broyé. Ensuite, la farine était tamisée.

Les feuilles de maïs non tressées font office de cheveux

Masque iroquois d'un membre de la Société des Husk Face, fabriqué à partir de feuilles de maïs tressées et cousues

Pierre ronde pour réduire en poudre

Mortier quadrangulaire en pierre

Bol iroquois en bois

FEMMES À LA CUISINE
Après la préparation du maïs, les femmes avaient encore fort à faire pour préparer le repas. Si elles ne disposaient pas d'un mortier et d'un pilon en bois (p. 16), elles se servaient de deux pierres dans un bol en bois pour broyer les grains.

CULTURES À L'INDIENNE
En 1564, l'explorateur français Jacques Le Moyne dessina des Timucuas du nord de la Floride. Cette illustration les représente en train de cultiver à la façon des paysans français. En réalité, les Timucuas utilisaient des houes dont la tête était une grosse arête de poisson. Les graines étaient plantées dans des trous, par les femmes, et non pas semées à la volée.

LA VIE AU BORD DE L'OCÉAN ATLANTIQUE

Le long de la façade atlantique s'étendaient des plaines boisées et des vallées luxuriantes. Cultivateurs de maïs et chasseurs en forêt, les Indiens de cette région vivaient dans des maisons, aux toits arrondis, couvertes d'écorce. Ils étaient dirigés par des chefs, les sachems, dont le pouvoir dépendait de l'accord général. En 1585, l'Anglais John White séjourna dans la colonie anglaise de Roanoke, en Caroline du Nord, avant qu'elle ne disparût mystérieusement, et peignit les Secotans. Ses œuvres donnèrent naissance à une image stéréotypée de l'Indien qui s'imposa deux cents ans durant. Lors de leur installation en Virginie, les Britanniques rencontrèrent le chef de la puissante confédération powhatan, qui faillit les anéantir. Plus forte encore, la confédération delaware étendait, au début du XVIIe siècle, son influence vers le nord et l'ouest. Elle fut détruite plus tard par les Iroquois.

Effigie d'une femme delaware sculptée dans le bois

Les ornements (croix en argent et boucles de ceinture) indiquent l'influence européenne.

UN VILLAGE SECOTAN
John White peignit ce village secotan en 1585. Les habitations, constituées d'une charpente en bois couverte d'écorce et de nattes tressées, étaient défendues par une palissade. Avec leurs mezzanines intérieures où dormir, elles ressemblaient à celles des Iroquois, plus au nord. L'édifice, en haut à droite, couvert d'un dôme, est un temple. Par la suite, les Secotans disparurent de leur territoire de Caroline du Nord, où d'autres tribus leur succédèrent.

À BON ESPRIT, BONNE SANTÉ
Les Delawares croyaient à la présence universelle d'un Grand Esprit mais aussi à un monde d'esprits malins dont dépendaient leur vie, leur réussite et leur santé. Prières, offrandes et cérémonies servaient à demander leur aide. Cette poupée en bois était un esprit protecteur féminin de la santé. Chaque automne, les Delawares l'honoraient par des fêtes, des cadeaux et le sacrifice d'un daim.

DE LA VAISSELLE DE BOIS
Les tribus de l'Est utilisaient le bois pour fabriquer des ustensiles tels que bols, cuillères et louches. Le travail du bois était une tâche masculine. Pour faire de la vaisselle creuse, le bois était d'abord brûlé légèrement, puis la partie carbonisée grattée avec un couteau en pierre (plus tard en fer). Sculptés dans des morceaux de loupe d'orme et d'érable, ces objets étaient à la fois utiles et beaux.

Plat de bois creusé delaware et sa cuillère

Extrémité recourbée (pour accrocher l'ustensil) sculptée en couronne

Manche décoré d'une tortue, d'un cheval et d'un fer à cheval sculptés

Étoile décorative

Mouvette en bois delaware

Des pierres lestent la nasse qui repose au fond de la rivière.

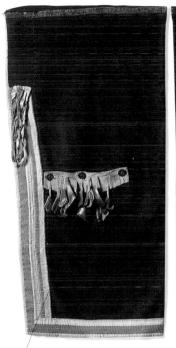

Jambières delawares
de toile

PEAUX DE SAISON
Beaucoup de vêtements étaient confectionnés dans des peaux, notamment celle du daim. L'homme apprenait, dès l'enfance, à supporter la pluie et le froid. En été, il portait un cache-sexe maintenu par une ceinture, des mocassins et des jambières en cuir. Les femmes étaient vêtues d'une jupe jusqu'en dessous des genoux et de guêtres. L'hiver, tous s'enveloppaient dans un manteau de fourrure. Les contacts avec les Européens leur firent préférer des vêtements tissés et de nouvelles coupes, comme cette veste et ce pantalon.

UNE ALLIANCE POWHATAN
En 1608, John Smith (1579-1631), de la colonie anglaise de Virginie, reçut de Wahunsonacock, le puissant chef powhatan, sa fille Pacahontas en mariage. L'Indien signifiait par cette union un désir de cohabitation pacifique entre les deux communautés. Mais le message de Wahunsonacock ne fut pas entendu : son peuple ne se sentait guère appartenir au roi d'Angleterre et refusa d'obéir aux ordres du gouverneur Smith.

Rubans de soie appliqués

*Sabots de daim
qui s'entrechoquent.*

PIÉGER LE POISSON
Le poisson venait en complément du gibier pour tous les Indiens de l'Est parce qu'on pouvait le pêcher tout au long de l'année. La prise était harponnée, tirée à l'arc ou capturée avec des hameçons et des lignes. Quelques espèces remontant les rivières pour frayer étaient prises dans des filets, des barrages ou des nasses (ci-dessous).

*Entrelacement
en bois très souple*

*Le poisson entre mais
ne peut se
retourner à
l'intérieur.*

*La poignée
permet le
transport
de la nasse.*

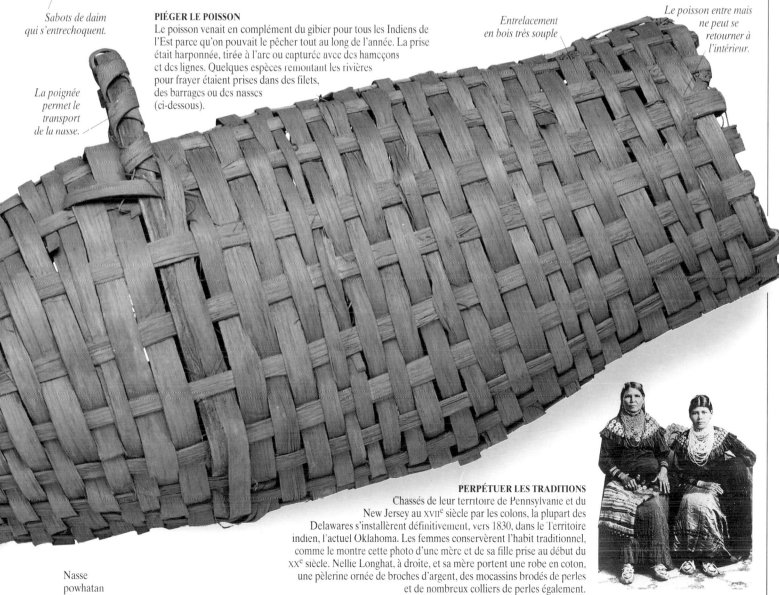

Nasse
powhatan

PERPÉTUER LES TRADITIONS
Chassés de leur territoire de Pennsylvanie et du New Jersey au XVIIe siècle par les colons, la plupart des Delawares s'installèrent définitivement, vers 1830, dans le Territoire indien, l'actuel Oklahoma. Les femmes conservèrent l'habit traditionnel, comme le montre cette photo d'une mère et de sa fille prise au début du XXe siècle. Nellie Longhat, à droite, et sa mère portent une robe en coton, une pèlerine ornée de broches d'argent, des mocassins brodés de perles et de nombreux colliers de perles également.

QU'ELLE ÉTAIT VERTE MA VALLÉE DE L'OHIO

Les terres fertiles de la grande vallée de l'Ohio et de ses affluents offrirent, entre 1500 av. J.-C. et 500 de notre ère, un environnement généreux à deux civilisations indiennes préhistoriques : celle des Adenas puis celle des Hopewell. Le territoire de ces derniers s'étendait de l'est des Grands Lacs au golfe du Mexique et à l'ouest du fleuve Mississippi. Ils édifièrent de grands tumulus ; d'ailleurs, tout ce que nous connaissons de cette tribu provient des fouilles réalisées dans ces tertres funéraires. Artistes et artisans de talent, les Hopewell importèrent nombre de matériaux bruts grâce à un vaste réseau commercial. Ils disparurent aussi vite qu'ils étaient apparus. Au XVIIIe siècle, trappeurs français et colons anglais, alliés à des Indiens, se battirent afin de contrôler la vallée de l'Ohio, considérée comme une région clé pour la possession du continent. Dans les années 1790, l'avancée de la colonisation américaine donna naissance à une brève alliance des tribus indiennes, dirigées par le chef shawnee Tecumseh.

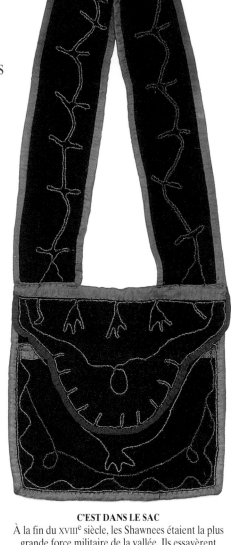

Sac shawnee décoré de surpiqûres et de rubans

Mère allaitant un enfant

Chignon hopewell caractéristique

DANS L'AU-DELÀ
Les Hopewell enterraient leurs morts avec leurs richesses (parures, bijoux, beaux outils en pierre et poteries). Certains objets, telles ces figurines en argile (ci-dessus), étaient destinés uniquement à accompagner le défunt. Tout ceci nous permet de mieux connaître la culture hopewell, même si les personnages importants étaient seuls en mesure de s'offrir de vastes tombeaux.

Les femmes hopewells continuèrent de porter la traditionnelle jupe portefeuille jusqu'au XIXe siècle.

C'EST DANS LE SAC
À la fin du XVIIIe siècle, les Shawnees étaient la plus grande force militaire de la vallée. Ils essayèrent de stopper l'avance américaine mais, en 1794, ils furent battus par le général Anthony Wayne, dit le Cinglé. En 1831, ils vendirent ce qui leur restait de terre et furent déportés en Oklahoma.

Dans ce cas particulier, la tête de l'oiseau se trouve à l'opposé du fumeur.

Fourneau sur le dos de l'oiseau

UN OISEAU SUR UNE PIPE
La sculpture sur pierre hopewell dénote la même habileté que les autres formes d'expression artistique. Très étranges sont les pipes zoomorphes (ici, un corbeau). La plupart d'entre elles, baptisées pipes à plate-forme, ont été conçues de telle manière que sur le dessus de la sculpture se trouve le fourneau, où mettre le tabac. Le fumeur aspire la fumée par la queue de l'oiseau.

Grosse pipe en pierre trouvée dans l'ouest du Tennessee

Le fumeur aspire la fumée par la queue du corbeau.

Etui à couteau huron fait en peau d'élan

291 broches en maillechort décorent l'ensemble.

Rubans de soie appliqués tout autour de la jupe portefeuille miami

Broderies en perles

Pompons de coton colorés

Perles

DES ENNEMIS

Au cours des guerres coloniales des XVIIe et XVIIIe siècles, les Hurons étaient les alliés des Français et, par conséquent, les ennemis des Iroquois. James Fenimore Cooper (1789-1851), auteur du *Dernier des Mohicans*, en fait les méchants de ses récits. Cet étui huron en peau est décoré de perles, de surpiqûres et de crins.

LES AMIS MIAMIS

Alliés aux autres tribus, les Miamis subirent les mêmes défaites dans les années 1790 et lors de la guerre de 1812. Toutefois, ils continuèrent à commercer avec les Blancs à qui ils achetaient laine, ruban de soie, broches de métal et perles de verre. Les femmes estimaient que tous ces objets embellissaient leurs vêtements ; aussi, elles développèrent un goût très prononcé pour la décoration, comme le montre cette jupe de laine du début du XIXe siècle, ornée de jolies broderies et de broches en maillechort.

LE COMMERCE AVANT TOUT

A la fin du XVIIIe siècle, les Indiens souhaitaient faire de la vallée de l'Ohio une frontière fermée aux Américains. A l'instar des Miamis et des Shawnees, les Potawatomis tentèrent d'arrêter la progression des colons. Vaincus plusieurs fois, eux et leurs alliés, ils se résignèrent à signer des traités de paix en 1815. Malgré les hostilités, les Indiens commerçaient avec les Blancs pour obtenir de nouveaux tissus. Seuls les sacs, les blagues à tabac (ci-dessus) et les mocassins continuaient d'être faits en peau de daim.

LE GRAND CHEF

Tecumseh (1768-1813) usa de son habileté politique pour rallier les tribus face à l'avance américaine au cœur du continent. Avec son frère jumeau, le chaman Tenskwatawa (1768-1837), il fit valoir que la terre ne pouvait être vendue. Malgré sa volonté de paix, les Américains affrontèrent les Indiens en 1811, à la bataille de Tippecanoe, dans l'Ohio. Tecumseh se résolut alors à rejoindre l'armée britannique, où il fut fait général. Il trouva la mort en combattant les Américains durant la guerre de 1812.

SÉRÉNITÉ DANS LA RÉGION DES LACS

Dans la région des Grands Lacs, les Indiens savaient tirer parti des bois et des prairies. En été, les femmes sauks et fox récoltaient le maïs et les courges pendant que les hommes chassaient le bison. Les Menominees moissonnaient de grandes quantités de riz sauvage – d'ailleurs, leur nom vient du mot chippewa qui désigne cette plante. En hiver, les tribus adoptaient un mode de vie nomade grâce à leurs cabanes en bois démontables et suivaient le gibier. Le commerce entre Indiens était actif, mais la guerre également. Au début du XVIIe siècle, une puissante société secrète de guérisseurs, le Midewiwin, se développa. Son but était de soigner et d'enseigner la meilleure conduite possible pour conserver une bonne santé.

On donnait le nom de mari à la poupée masculine, celui d'épouse à la féminine.

Une amulette d'amour se trouvait sur la poitrine de chaque poupée menominee.

Chaque griffe de grizzli est séparée par trois perles bleues.

À CHAQUE SOUCI SA POUPÉE
Les chamans utilisaient des figurines comme « médecine » pour surveiller la conduite de chacun. Les Menominees se servaient de « poupées d'amour » (ci-dessus) qu'ils attachaient face à face pour s'assurer que mari et femme restaient fidèles. Les Potawatomis employaient des poupées comme charmes.

UNE VRAIE DOUCEUR
Le sirop d'érable était très apprécié des Indiens qui le consommaient avec les fruits et les graines, mais aussi pour assaisonner la viande et le poisson. A la fin du mois de mars, les Menominees se rendaient dans les bois où chaque famille possédait des arbres et un wigwam. L'érable était incisé et une gouttière en bois de cèdre insérée pour permettre à la sève de couler dans un bol en écorce de bouleau.

Ecumoir ojibwa à sirop d'érable

Récipient en bois ojibwa et cuillère menominee (à l'extrême gauche)

LE SIROP D'ÉRABLE
La sève était d'abord bouillie. Avant l'introduction du chaudron, les Indiens jetaient des pierres chaudes dans un récipient en écorce de bouleau. Après ébullition, le sirop était écumé et filtré, puis versé dans un récipient en bois. Tandis qu'il refroidissait, on le tournait avec une grosse cuillère jusqu'à ce qu'il cristallisât.

CÔNES DE SIROP
Le sirop se conservait bien dans des récipients en écorce de bouleau. On le coulait dans des moules coniques (à droite) de la même manière que les Européens fabriquaient des pains de sucre.

Cônes ojibwas

UN COU DE GRIFFES

Le collier en griffes de grizzli
était particulièrement apprécié,
car il était délicat de convaincre
son possesseur naturel de vous
les laisser ! Propriété d'un chef
ou d'un guerrier valeureux,
il se transmettait de
génération en génération.

LE BON CHEF KEOKUK

A l'inverse de Black Hawk (1767-1838), son
rival qui mena une lutte sans espoir contre
les colons jusqu'en 1832, le chef sauk
Keokuk (1780 ?-1848) comprit que son
peuple devait abandonner sa terre natale de
l'Illinois. Sa tribu lui fut reconnaissante de
l'avoir établie dans un territoire où elle s'allia
aux Fox, dans l'actuel Iowa. Quant aux
compagnons de Black Hawk, ils furent
exterminés par le gouvernement
américain.

DONS SURNATURELS

Des individus qui obtenaient des pouvoirs
extraordinaires de la part des esprits
devenaient chamans. Lors d'une vision,
un esprit enseignait au chaman
comment se servir de « médecines »
(amulettes telles que os, racines,
peaux) qu'il conservait dans
son sac-médecine (ci-dessus).
Les chamans soignaient
les malades et
assuraient le succès
à la guerre et
à la chasse.

*Le collier
est en peau
de loutre.*

*Décoration de
plumes d'aigle*

Collier fox
en griffes d'ours

*Fourneau
en métal*

DE GUERRE OU DE PAIX ?

Le tabac était censé posséder des vertus particulières ; aussi était-il
utilisé en offrandes aux esprits. Les Menominees croyaient que
son usage les rendait plus sages. Lors d'importantes cérémonies,
les tribus fumaient le calumet sacré qui passait dans l'assistance.
Il était baptisé calumet de la paix parce que, le plus souvent,
il marquait la fin des hostilités, mais on le sortait également
lors des conseils de guerre.

Calumet sacré
menominee

LES RICHES BÂTISSEURS DU SUD-EST

Avec son doux climat, ses terres fertiles, sa nature généreuse, le Sud-Est était habité par des Indiens, bâtisseurs remarquables et excellents agriculteurs, qui ont donné naissance à une civilisation florissante. De 800 à 1500, les bâtisseurs de tumulus édifièrent des villes, créèrent un vaste réseau commercial et organisèrent d'importantes cérémonies. Une élite vivait dans le luxe pendant que le reste de la population peinait. Des tumulus à sommet plat sont aujourd'hui des témoignages de ces peuples disparus. Au début du XVII\u1d49 siècle, les Français s'installèrent en Louisiane où ils nouèrent des relations avec les Natchez, les descendants de ces bâtisseurs. Obligés de céder des terres, méprisés, les Natchez se révoltèrent en 1729 et furent presque exterminés, les rares survivants ayant trouvé refuge dans d'autres tribus.

Carte de l'Amérique du Nord indiquant le Sud-Est

LA FÊTE DU BUSK
Le Busk, ou cérémonie du Maïs vert, était le rite le plus important dans le Sud-Est. Cette fête solennelle avait lieu lorsque le maïs était mûr. Les hommes rendaient grâce pour la future moisson et célébraient le début de la nouvelle année. Au cours d'un rituel de purification on dansait autour d'un feu sacré.

Eventail en plumes que tenaient les danseurs de la tribu yuchi.

Charpente

Toit de chaume

La couleur de l'éventail était celle qui dominait lors du Busk, où les participants et les spectateurs étaient habillés de blanc.

Mur en boue séchée

Maquette de maison natchez

SOLEILS, HONORABLES ET PUANTS
Héritiers des bâtisseurs de tumulus, les Natchez, dont le territoire était l'actuelle Louisiane, étonnèrent les Français par la complexité de leur société hiérarchisée et leurs cérémonies très élaborées. Gouvernée par un souverain tout-puissant, le Grand Soleil, la société se divisait en Soleils, Honorables et Puants. Dans le village principal se dressait un temple sur un tertre où brûlait le feu éternel.

Le manche du bâton mesure plus d'un mètre.

DEUX ANSES ET TROIS PIEDS
Les femmes prenaient de l'argile pour la poterie. La terre était nettoyée, malaxée, puis roulée en courts boudins que l'on empilait au-dessus d'un disque (le fond) en argile également. Un coquillage mouillé servait à lisser, à amincir les côtés et à donner sa forme au vase. Avant la cuisson, celui-ci était poli avec une pierre douce, et des dessins étaient faits à l'aide d'un poinçon en bois.

Décoration finement gravée

Pot catawba fabriqué selon les techniques anciennes

BIJOU DES MERS

Les Bâtisseurs de tumulus incisaient des coquilles pour en faire des bijoux. Le dessin de celle-ci, portée en sautoir, représente un dieu à long nez. Malheureusement, l'absence d'écriture dans cette civilisation rend délicate toute interprétation des croyances religieuses.

La balle yuchi est recouverte de morceaux de peau cousus ensemble avec des tendons.

Trou permettant de porter le sautoir

Les cordes de la raquette sont en peau.

Le disque du chunkey est en pierre polie.

Sangle solidement tressée

OÙ VA-T-IL ?

Le « chunkey » était un sport populaire chez les Bâtisseurs de tumulus. Un joueur faisait rouler un disque en pierre polie sur un terrain de 30 m de long. Puis chacun des adversaires envoyait une lance en bois à l'endroit où il pensait que le disque s'arrêterait. Ce jeu était toujours pratiqué dans le Sud-Est lorsque les Européens arrivèrent.

Le manche est fait d'un seul morceau.

VIENS JOUER À LA CROSSE

Ce sport, très populaire chez les Indiens, fut baptisé par les Français jeu de la crosse. Il se pratique encore avec beaucoup d'ardeur et d'enthousiasme dans le Sud-Est. Chaque équipe comprend 100 joueurs, parfois plus. Chacun tient deux bâtons, dont l'extrémité est une petite raquette, avec lesquels il doit s'emparer d'une balle faite de poils d'animaux enveloppés dans de la peau de daim et tenter de la porter dans le but du camp opposé.

Les liens en cuir maintiennent ensemble le manche et la raquette, lesquels forment la crosse.

Des motifs sont dessinés sur le visage et le corps spécialement pour le jeu.

Crinière de cheval portée autour du cou

Ceinture en perles

Chacun joue avec deux crosses.

Crosse d'Indien yuchi

LE JEU AU SÉRIEUX

L'artiste américain George Catlin (1796-1872) a peint plusieurs parties de crosse en 1834. Ci-contre, un portrait de Thirsts-for-Stone, un joueur choctaw dans sa plus belle tenue. Avant le jeu, chaque participant buvait une médecine sacrée et accomplissait des danses rituelles. Les femmes du village, accompagnées de chamans, demandaient l'aide d'un esprit en dansant et en chantant pour faire gagner leur équipe.

Longue queue rigide en crins

Peinture de George Catlin représentant une partie de crosse choctaw

« LE PETIT FRÈRE DE LA GUERRE »

Autrefois, le jeu de la crosse était d'une telle violence que les Indiens l'appelaient « le petit frère de la guerre ». Il arrivait que des joueurs fussent grièvement blessés et même tués. Une rencontre entre deux villages ou deux tribus attirait un millier de supporters qui pariaient gros sur le résultat.

« CINQ TRIBUS CIVILISÉES » ... À LEURS DÉPENS

Une civilisation remarquable se développa dans le Sud-Est à la fin du XVIe siècle. Dans de gros villages vivaient des Indiens agriculteurs autant que chasseurs, qui possédaient de grandes connaissances médicales. Trois cents ans plus tard, ils adoptèrent les techniques agricoles américaines, fixèrent leurs lois par écrit, et nombre d'entre eux devinrent chrétiens. Vers 1830, les Cinq Tribus civilisées (les Choctaws, suivis des Cherokees, des Creeks, des Chickasaws, puis des Séminoles) furent déportées dans l'Oklahoma et beaucoup moururent en route.

Les femmes avaient les cheveux épinglés sur une forme de carton.

AU FIL DU COLLIER
Ces poupées séminoles nous montrent que les femmes, au début du XXe siècle, portaient des jupes et des pèlerines rayées aux couleurs contrastées. Les petites filles recevaient un collier de perles de verre qu'elles agrandissaient tout au long de leur vie jusqu'à ce qu'il atteignît presque leurs oreilles et pesât plusieurs livres.

Cette ceinture en perles de verre appartint à un chef.

LA DANSE DE L'AIGLE
Avant l'arrivée des Européens, l'une des principales cérémonies cherokees était la danse de l'Aigle, qui célébrait la guerre ou la paix. Les danseurs, coiffés de plumes d'aigle, agitaient un bâton orné également de plumes d'aigle au rythme de tambours et de crécelles.

Petites plumes liées avec des tendons

UN CHEF FIDÈLE
La patrie des Choctaws était le Mississippi et la Louisiane avant qu'ils ne fussent déportés par les Américains dans une réserve du Territoire indien, appelé plus tard Oklahoma (« la terre du peuple rouge », en choctaw). Cette ceinture fut portée lors de son mariage, en 1871, par un chef qui avait décidé de rester en Louisiane.

Bâton de cérémonie cherokee décoré de plumes d'aigle

Entrée d'une maison sans fenêtre

À L'ABRI DE L'EAU
En Floride, particulièrement dans les marais des Everglades, les Séminoles habitaient des maisons largement ouvertes, les chickees. Construites en troncs de palmiers et coiffées de palmes, les huttes étaient surélevées pour éviter les inondations, fréquentes dans cette région chaude et humide.

Les murs sont faits de boue séchée appliquée sur une charpente en bois.

MUSIQUE ENDIABLÉE
Tambours et crécelles accompagnaient les cérémonies et les jeux. Le tambour d'eau, très sonore, était fait d'une bûche creuse remplie d'eau et fermée par une peau de daim tendue. La crécelle était fabriquée à partir d'une carapace de tortue, d'une corne ou d'une courge séchée.

Crécelle creek faite d'une courge percée, emplie de grains de maïs ou de petits cailloux

Toit conique posé sur des mâts plantés en cercle

DES FUGITIFS IRRÉDUCTIBLES
D'origine creek, les Séminoles (ci-contre) migrèrent en Floride (leur nom signifie « fugitifs »). De là, ils firent des raids sur la Géorgie. A partir de 1834 et pendant douze ans, le gouvernement américain se battit contre eux, et finalement leur proposa d'aller en Oklahoma. Le refus d'Osceola (ci-dessous) entraîna un autre conflit, au terme duquel un traité leur permit de rester en Floride. Beaucoup de Séminoles se rendirent en 1841-1842 et gagnèrent l'Ouest, tandis que les irréductibles restaient dans les Everglades, en Floride. En 1934, enfin, un traité mit fin à l'un des conflits les plus longs de l'histoire.

Peinture de George Catlin représentant le chef Osceola

LIEUX DE RENCONTRES
Un village creek comprenait des cabanes ouvertes pour l'été et des habitations plus chaudes pour l'hiver. Le conseil des Anciens se tenait l'été dans un lieu protégé du soleil, et l'hiver dans un édifice rond de 7,5 m de hauteur. La maison du Conseil servait également lors des cérémonies et des fêtes.

LE HÉROS DES SÉMINOLES
En 1835, révolté par l'accord donné aux Américains pour déplacer les Séminoles en Oklahoma, Osceola (1804-1838) tua le chef rival et prit la tête des Indiens décidés à demeurer dans leur patrie d'origine. Dirigeant de petites bandes, il mena une guérilla et résista à 10 000 soldats américains jusqu'à ce qu'il fût pris dans un guet-apens.

Le toit de petits troncs recouverts d'écorce protège parfaitement des pluies d'orage.

Foyer central

Maquette de maison du Conseil dans laquelle les Anciens se réunissaient.

27

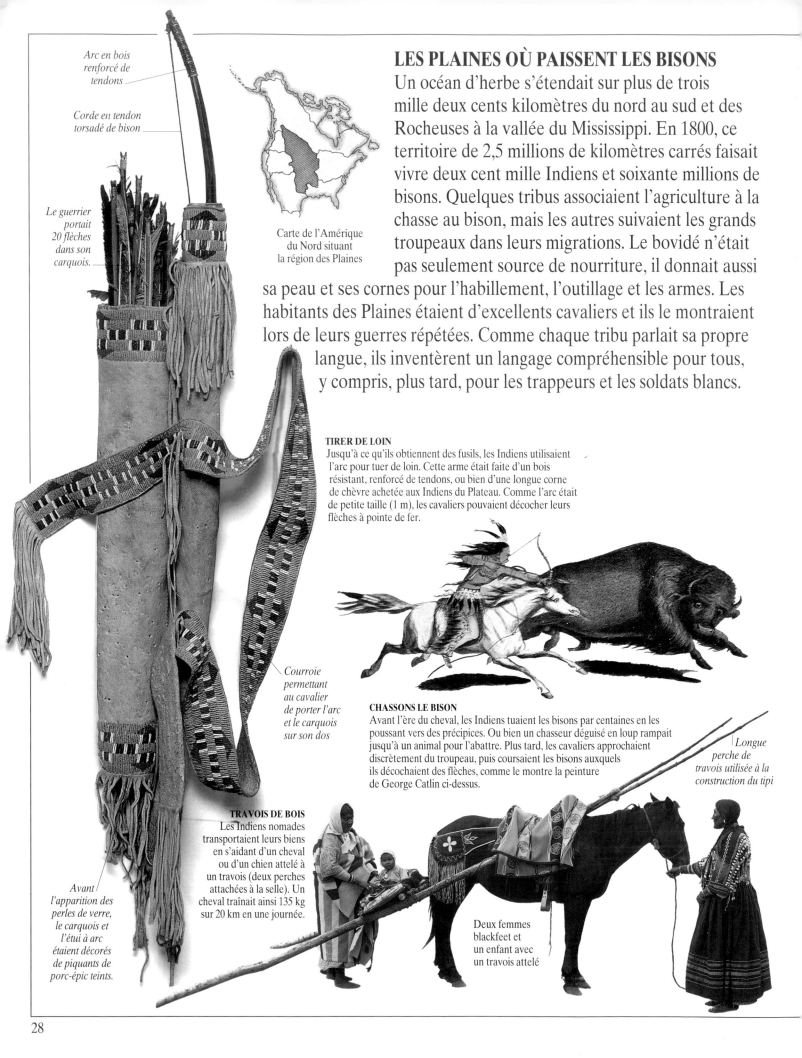

Arc en bois renforcé de tendons

Corde en tendon torsadé de bison

Le guerrier portait 20 flèches dans son carquois.

Carte de l'Amérique du Nord situant la région des Plaines

LES PLAINES OÙ PAISSENT LES BISONS

Un océan d'herbe s'étendait sur plus de trois mille deux cents kilomètres du nord au sud et des Rocheuses à la vallée du Mississippi. En 1800, ce territoire de 2,5 millions de kilomètres carrés faisait vivre deux cent mille Indiens et soixante millions de bisons. Quelques tribus associaient l'agriculture à la chasse au bison, mais les autres suivaient les grands troupeaux dans leurs migrations. Le bovidé n'était pas seulement source de nourriture, il donnait aussi sa peau et ses cornes pour l'habillement, l'outillage et les armes. Les habitants des Plaines étaient d'excellents cavaliers et ils le montraient lors de leurs guerres répétées. Comme chaque tribu parlait sa propre langue, ils inventèrent un langage compréhensible pour tous, y compris, plus tard, pour les trappeurs et les soldats blancs.

TIRER DE LOIN
Jusqu'à ce qu'ils obtiennent des fusils, les Indiens utilisaient l'arc pour tuer de loin. Cette arme était faite d'un bois résistant, renforcé de tendons, ou bien d'une longue corne de chèvre achetée aux Indiens du Plateau. Comme l'arc était de petite taille (1 m), les cavaliers pouvaient décocher leurs flèches à pointe de fer.

Courroie permettant au cavalier de porter l'arc et le carquois sur son dos

CHASSONS LE BISON
Avant l'ère du cheval, les Indiens tuaient les bisons par centaines en les poussant vers des précipices. Ou bien un chasseur déguisé en loup rampait jusqu'à un animal pour l'abattre. Plus tard, les cavaliers approchaient discrètement du troupeau, puis coursaient les bisons auxquels ils décochaient des flèches, comme le montre la peinture de George Catlin ci-dessus.

Longue perche de travois utilisée à la construction du tipi

TRAVOIS DE BOIS
Les Indiens nomades transportaient leurs biens en s'aidant d'un cheval ou d'un chien attelé à un travois (deux perches attachées à la selle). Un cheval traînait ainsi 135 kg sur 20 km en une journée.

Avant l'apparition des perles de verre, le carquois et l'étui à arc étaient décorés de piquants de porc-épic teints.

Deux femmes blackfeet et un enfant avec un travois attelé

APPRENDRE EN S'AMUSANT
Les Indiens des Plaines s'exerçaient à des jeux qui développaient les qualités nécessaires à leur survie, telles vitesse et force. Un jeu très prisé des femmes était le hockey, mais un hockey sans règles. Deux équipes avec des bâtons courbés ou droits (ci-contre) s'affrontaient pour porter la balle jusqu'à un but. Les hommes y jouaient aussi, soit entre eux, soit contre les femmes.

Une vingtaine de perches liées au sommet donnent la forme conique au tipi.

La flèche avec une plume d'aigle est symbole d'éclair.

La dépouille de corbeau qui orne la ceinture représente l'esprit du Tonnerre.

Chaque perche mesure plus de 7,5 m de long.

Les auvents servent à faire entrer l'air ou à retenir la chaleur.

Des plumes représentent des oiseaux se disputant des cadavres de guerriers.

Balle arapaho de hockey faite en peau décorée

8 à 20 peaux de bison couvrent l'armature de perches.

UN TIPI POUR VOYAGER
Pour les Indiens, le tipi était l'habitat pratique par excellence, frais en été, chaud en hiver. Deux femmes le montaient en une heure. Sur de longues perches placées en cône, elles attachaient des peaux de bison. Une famille entière, avec son mobilier, logeait dans cette tente de 5 m de diamètre, peinte de motifs traditionnels à l'extérieur.

Rangée de grelots imitant le son du tonnerre

Danseur de l'Herbe arapaho

Chevilles de bois que l'on retire lorsque le tipi est démonté.

DANSER CHAQUE ÉVÉNEMENT
A la fin du XIXe siècle est apparue chez les Indiens des Plaines une nouvelle cérémonie, la danse de l'Herbe. Rituel omaha à l'origine, elle devint une danse pour donner du courage aux hommes dans leurs projets et à la guerre, puis le symbole de la solidarité d'un peuple qui vivait la destruction de son mode de vie.

Les décorations peintes représentent des créatures mythiques vues en rêve et ressemblant à la loutre.

Pour se protéger des vents d'ouest, les Indiens orientaient l'entrée du tipi à l'est.

Bâtons « crees des Plaines » de hockey

LES DAKOTAS NE SONT PLUS DES SIOUX

Les seigneurs des Plaines du Nord, au milieu du XIXe siècle, étaient les Dakotas. Baptisés Sioux par les Français (du mot chippewa signifiant « ennemi »), ils furent chassés par les Ojibwas, au début du XVIIIe siècle, de leur territoire au bord des Grands Lacs. Les Dakotas comprenaient sept groupes indépendants, dont les plus occidentaux se nommaient Lakotas. Ceux-ci, armés de fusils et alliés aux Arapahos et aux Cheyennes, régnèrent sur les Plaines. Leur vie dépendait du bison, et la destruction des grands troupeaux signifiait la fin de leur indépendance. Toutefois, entre 1862 et 1877, ils résistèrent aux Américains à qui ils infligèrent la plus cruelle défaite de toutes les guerres indiennes, près de Little Bighorn River, dans l'est du Montana.

L'ARC, UN JEU D'ENFANT
L'enfant dakota apprenait à imiter les adultes. Rarement puni, il était traité avec beaucoup d'affection. Il devait devenir adroit dès son plus jeune âge. Les garçons pratiquaient le tir avec des arcs à leur taille (ci-dessus) sur des cibles ou sur le petit gibier, et commençaient à chasser vers dix ans.

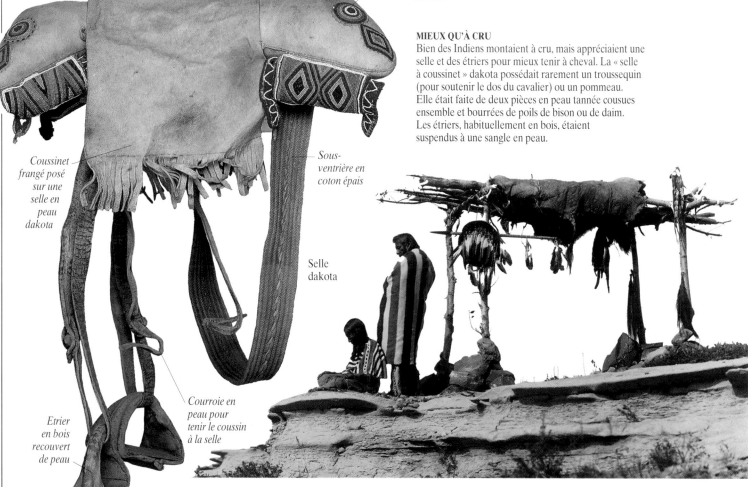

Motif géométrique dakota en perles de verre

Coussinet frangé posé sur une selle en peau dakota

Sous-ventrière en coton épais

Selle dakota

Etrier en bois recouvert de peau

Courroie en peau pour tenir le coussin à la selle

MIEUX QU'À CRU
Bien des Indiens montaient à cru, mais appréciaient une selle et des étriers pour mieux tenir à cheval. La « selle à coussinet » dakota possédait rarement un troussequin (pour soutenir le dos du cavalier) ou un pommeau. Elle était faite de deux pièces en peau tannée cousues ensemble et bourrées de poils de bison ou de daim. Les étriers, habituellement en bois, étaient suspendus à une sangle en peau.

LE SANG COULE À LITTLE BIGHORN
Les chercheurs d'or envahirent les terres sacrées des Black Hills, protégées par un traité, dans le Dakota du Sud ; la guerre éclata en 1876. Les troupes américaines firent mouvement vers les Sioux et les Cheyennes, sans savoir qu'ils étaient très nombreux. Le 25 juin 1876, le général George A. Custer (1839-1876), à la tête d'une avant-garde, se lança à l'assaut. Ni lui ni ses 215 soldats n'en réchappèrent.

LA MORT QUI DOMINE
Les Dakotas n'enterraient pas leurs morts. Le corps était enveloppé d'une peau de bison et placé sur un échafaud loin des prédateurs. Le guerrier emportait ses armes et son sac-médecine, la femme ses objets usuels. Les parents pleuraient à côté du défunt.

Détail d'un pictogramme de 1881 peint sur une peau de bison et montrant la bataille de Little Bighorn

Motif guerrier original

Lance ornée de perles, de peau de bison, de crins de cheval et de plumes

La coiffure en plumes d'aigle touche le sol.

Houppes en crins de cheval

Piquants de porc-épic teints et aplatis, cousus avec des tendons.

PIQUANTE BRODERIE
Avant que les Blancs ne fassent connaître les perles en verre, les femmes réalisaient des broderies en piquants de porc-épic. Ce sac de selle de femme faisait partie d'une paire. Dans le tipi, il contenait des objets ménagers.

L'HABIT FAIT LE GUERRIER
Au milieu du XIXᵉ siècle, le costume de cérémonie marquait le rang d'un vieux Dakota. La longue coiffure (ou bonnet) en plumes d'aigle, symbolisant un pouvoir spirituel, était l'apanage d'un guerrier confirmé. Telle était la parure de Sitting Bull lorsqu'il devint le chef des Lakotas. Le costume comprenait aussi des jambières ornées de perles et des mocassins couverts de piquants de porc-épic.

Berceau décoré de clous, de fers à cheval, de perles et de grelots

Chemise-poncho peinte en bleu et jaune. En peau de mouton, elle est ornée de cheveux humains et de piquants de porc-épic.

SITTING BULL, LE TAUREAU ASSIS
Chaman choisi comme chef par les Lakotas en 1868, Sitting Bull (1831 ?-1890) possédait les qualités qu'il fallait. En 1876, il rassembla les Dakotas pour lutter contre les Américains et réussit à battre Custer. Amnistié, il participa plus tard au Wild West Show de Buffalo Bill (1846-1917)

DODO, L'ENFANT DO...
Un bébé Dakota passait beaucoup de temps dans son berceau. Celui-ci était fait d'un sac en peau fixé sur un cadre de bois. Il était placé sur le dos de la mère, suspendu à la selle, attaché au travois ou juste posé debout. Sa décoration était réalisée par la sœur du père de l'enfant.

MANDANS ET HIDATSAS SUR LES RIVES DU MISSOURI

Vallées fertiles et vastes prairies, étés chauds et hivers glacés… Le haut Missouri était le territoire des Hidatsas et des Mandans qui s'y étaient bien adaptés. Dans ce qui est devenu le Dakota du Nord, ces Indiens sédentaires créèrent des villages aux maisons en terre sur les rives élevées, où ils cultivaient le maïs. Ils se nourrissaient pour moitié de cette céréale, dont le stockage les garantissait contre les famines. L'été, ils chassaient le bison dans les prairies. Les hivers étant rigoureux, leurs maisons se trouvaient près des rivières où le bois poussait en abondance. Bien qu'ils fussent cultivateurs-chasseurs, ils n'en restaient pas moins de farouches guerriers.

Maquette de *bullboat*, un bateau arrondi couvert de peau de bison

FRANCHIR LA RIVIÈRE
Installés près des rivières des Plaines, les Mandans se servaient de *bullboats*. Ces embarcations pour une personne étaient constituées d'un châssis en bois recouvert d'une peau de bison. Elles étaient légères, de faible tirant d'eau, mais assez résistantes pour transporter de lourdes charges. Le passager, placé à l'avant, pagayait à genoux. Un gros morceau de bois fixé à une queue de bison agissait comme stabilisateur et empêchait le bateau de tournoyer.

DES PROVISIONS POUR L'HIVER
Le travail de la terre revenait aux femmes, mais les hommes aidaient parfois au défrichage ou à la moisson. Une Indienne, avec l'aide de son mari, pouvait cultiver 1,2 hectare chaque année et faire venir des haricots, des courges, des tournesols, des melons et du maïs. Les semis avaient lieu au printemps et la récolte en septembre, quand tombaient les feuilles des épis. Les plus gros d'entre eux étaient suspendus pour sécher, puis stockés dans des fosses sous le plancher de la maison.

ENTREZ, MON PRINCE
En 1833-1834, le prince allemand Maximilien von Neuwied fit un périple dans l'Ouest pour étudier les tribus. Afin de conserver un souvenir tangible de ce voyage, il se fit accompagner du peintre suisse Karl Bodmer (1809-1893). Tous deux remontèrent le Missouri et rencontrèrent Mandans et Hidatsas. La peinture ci-contre représente un intérieur mandan où l'on voit des guerriers, des chiens et des armes. En hiver, les chevaux partageaient le même toit. L'éclairage est donné par le trou de la cheminée.

Le trou de la cheminée est recouvert par le châssis d'un bullboat et laisse passer la lumière.

La charpente du toit, en bois, est recouverte de saules, d'herbe et de boue

SOUS UN MANTEAU DE TERRE
L'habitation, large de 15 m, avait la forme d'un dôme. Bâtie par les femmes, elle abritait une famille élargie avec chevaux, chiens et tout le mobilier. La maison était sacrée, et de nombreuses cérémonies accompagnaient sa construction. Toutes les activités sociales et les tâches ménagères avaient lieu autour du foyer central.

L'entrée se fait par un vestibule couvert et par une porte en peau.

Le couteau placé dans la coiffure rappelle un combat avec un chef cheyenne.

Portrait de Four Bears, le dernier des grands chefs mandans, peint par Karl Bodmer

DE CURIEUSES ORIGINES
Le prince Maximilien croyait que les Mandans descendaient du prince gallois Madoc, supposé avoir découvert l'Amérique en 1170 ! Durant l'hiver 1833-1834, si froid que la peinture gelait, Karl Bodmer réalisa plusieurs tableaux, dont le portrait du chef mandan Mato-Tope, ou Four Bears. L'Indien savait poser depuis que l'artiste George Catlin (1796-1872) l'avait peint, l'année précédente.

Andouiller attaché au manche avec des tendons

Manche en bois couvert de peau

Le marteau est fait d'une pierre ronde enveloppée dans une peau de bison.

RACONTE-MOI TA VIE
L'histoire des Hidatsas a été racontée par Buffalo Bird Woman (1839-vers 1920) et par son fils (ci-contre), Edward Goodbird (1869-1938), à un anthropologue qui travaillait avec le Museum américain d'histoire naturelle. Ils apportèrent des connaissances inestimables sur la vie de la tribu et ses coutumes, et nous renseignèrent sur les conséquences du placement des Indiens dans une réserve en 1885-1888.

UN PEU DE PEMMICAN ?
Le pemmican était la nourriture la plus consommée dans les Plaines car il se conservait parfaitement bien. C'était de la viande séchée de bison mélangée à de la graisse bouillie et à des *chokecherries* (une espèce de baies sauvages). Un marteau en pierre était utilisé pour broyer la viande et écraser les os afin d'en extraire la moelle. Cette préparation alimentaire très nutritive se gardait des années.

L'alcôve permet une intimité pour dormir.

L'autel sacré est situé à l'opposé de l'entrée.

UNE ORIGINE FABULEUSE
Pour ôter les mauvaises herbes des champs de maïs, les Hidatsas utilisaient un râteau pointu dont les dents étaient un andouiller de daim. Ils pensaient qu'un outil en bois apportait des vers nocifs aux cultures. Une histoire dit comment les daims ont nettoyé le jardin de la Grand-Mère Éternelle, l'ancêtre de leur tribu, et comment celle-ci fit les premiers râteaux avec les andouillers tombés.

GUERRE ET PAIX DANS LES GRANDES PLAINES

Dans les Grandes Plaines, la guerre faisait partie de la vie mais les affrontements étaient limités. En général, des petits groupes d'hommes intrépides effectuaient des raids éclairs pour voler des chevaux, venger un mort ou, surtout, gagner du prestige. L'audace et le courage étaient très prisés car l'une et l'autre permettaient d'accomplir de hauts faits appelés « coups » : prendre un scalp, voler une arme, une monture ou toucher le corps de l'adversaire (ce qui avait plus de prix que de tuer). Nombre de tribus avaient des sociétés guerrières (plusieurs d'entre elles étaient appelées Soldats Chiens) dont les membres se montraient les plus braves au combat. Mais ces coutumes contribuèrent à désavantager les Indiens dans leur lutte contre l'armée américaine.

LE MASSACRE DE WOUNDED KNEE

A la fin du XIXe siècle, les tribus des Plaines s'adonnèrent à un nouveau rituel, la danse des Esprits, qui leur promettait la disparition des Blancs et un retour aux traditions. L'inquiétude s'empara des autorités et des soldats massacrèrent 200 prisonniers dakotas, à Wounded Knee, dans le Sud-Dakota, le 23 décembre 1890. Les morts furent jetés dans une fosse commune. Wounded Knee est devenu le symbole de la cruauté des Blancs à l'encontre des Indiens.

Lame de métal fixée à un manche en bois, lequel est le tuyau de la pipe.

Le visage sculpté figure une force surnaturelle vue lors d'une danse des Esprits.

PANOPLIE DU GUERRIER

Lors d'un raid, les guerriers étaient armés d'arcs, de boucliers, de lances, de casse-tête et de couteaux de scalp. Le casse-tête était pourvu d'une lame tranchante, d'une pointe ou d'une pierre aiguisée. Les pipes-tomahawks comme celle-ci, dakota, étaient plus des objets de cérémonie que des armes.

Le tuyau du calumet est en bois ou en roseau.

Bâton de la danse des Esprits arapaho

Coiffure de plumes de dindon et de pie placées en cercle avec une crête en plumes d'aigle

Calumet femelle : tuyau blanc et plumes tachetées

Plumes d'aigle, de corbeau, de pie

FAIRE DANSER L'ESPOIR

Le prophète Wovoka (p. 40), un jeune Paiute, vit en songe la libération des Indiens. Son message se répandit dans les Plaines à partir de 1889. La danse des Esprits donnait des visions où l'on dialoguait avec des esprits et des morts. Les danseurs apportaient des objets aperçus lors d'hallucinations, tel ce bâton arapaho.

LES SOCIÉTÉS DU CHIEN

Les Sociétés guerrières du Chien existaient dans des tribus comme les Blackfeet, les Hidatsas et les Gros Ventres. Lors de son voyage dans l'Ouest en 1833-1834, le peintre Karl Bodmer (p. 40) fit le portrait du guerrier hidatsa Perishka-Ruhpa, ou Two Ravens. Les Chiens hidatsas étaient surnommés « contraires » parce qu'ils faisaient l'inverse de ce qu'ils disaient ; le guerrier allant au combat disait qu'il se sauvait.

Décoration en plumes d'aigle

Le bouclier blackfoot est orné de symboles protecteurs.

Quanah Parker et son épouse, Tonasa, en 1892

La peau est celle d'un cou de bison. Elle a été séchée, renforcée par fumage puis peinte.

UN GRAND CHEF COMANCHE

L'excellente réputation et l'habileté politique de Quanah Parker (1845 ?-1911), dont la mère était anglaise, le conduisirent à devenir le premier chef des Comanches d'après la paix signée en 1875. Politicien adroit, il obtint un meilleur traitement pour son peuple, placé dans la réserve de l'Oklahoma. Il fut nommé également juge à la Cour fédérale des préjudices à l'encontre des Indiens, à Washington.

Calumet mâle : tuyau bleu et plumes blanches

Houppe en crins de cheval teints en rouge

BOUCLIER ET SURNATUREL

Porté au bras gauche, laissant les mains libres pour tenir les armes, le bouclier d'un guerrier des Plaines résistait à une flèche ou un coup de lance. Lors de sa fabrication, un rituel avait lieu, qui demandait la protection des puissances surnaturelles.

En dessous de chaque calumet omaha, une rainure rouge symbolise le chemin du bonheur.

Les plumes d'aigle symbolisent la guerre quand le calumet est balancé lors d'une cérémonie guerrière.

LE CALUMET PROTECTEUR

L'objet le plus sacré chez les Indiens des Plaines était le calumet. Si un ancien voulait adopter un jeune garçon, il faisait le geste de l'envelopper avec son calumet. Présentée à une autre tribu, la pipe signifiait la paix parce qu'on ne pouvait faire la guerre à des parents. Le possesseur de cet objet était promis à une longue vie, à la prospérité et à la chance.

La flanelle rouge représente les rayons du soleil.

Les ficelles blanches sont les rayons de la lune.

DANSER POUR RENDRE GRÂCE

Au début de l'été, lorsque les bisons revenaient, les groupes d'Indiens des Plaines éparpillés pendant l'hiver se retrouvaient pour célébrer leur cérémonie la plus importante, la danse du Soleil. Les rites variaient selon les tribus (Dakotas, Crows, Blackfeet), mais le but était le même, rendre grâce au Grand Esprit et prier pour obtenir sa protection. Cette cérémonie pouvait se répéter à la demande d'une personne voulant remercier le monde des esprits pour son aide, mais elle profitait à tous. Le rituel durait des jours et des nuits. Certaines tribus construisaient une cabane sacrée où se déroulait la danse et toutes plantaient au centre un peuplier élagué, fourchu au sommet. Trouvé par un guerrier, l'arbre était coupé et préparé par des femmes vertueuses. Enfin, des volontaires se proposaient de souffrir pour toute la tribu.

Slow Bull, un homme-médecine des Plaines

Crâne desséché de bison spécialement peint et placé au centre lors de la danse du Soleil chez les Blackfeet

LE GRAND ESPRIT
Pour les Indiens des Plaines, le monde était habité d'esprits qui possédaient des pouvoirs et qui investissaient les lieux, les personnes, les animaux et même les objets. Certaines tribus croyaient exclusivement à un Grand Esprit unique. En chantant, un homme obtenait l'aide des esprits, et si le jeûne le conduisait à une vision, ceux-ci lui donnaient alors un pouvoir qui lui permettait de devenir chef, conseiller ou « homme-médecine ».

Coiffure en plumes ornant une effigie dakota

MAGIE NOIRE
Chez les Crows, celui qui s'offrait aux souffrances lors de la danse du Soleil le faisait pour venger un parent assassiné. Une poupée cérémonielle était alors suspendue au peuplier. La légende veut qu'un guerrier, dont la famille avait été tuée par des ennemis, avait eu une vision d'après laquelle il devait faire une poupée pour assurer sa vengeance.

Poupée coiffée de plumes et d'hermine et portant un collier de perles

EFFIGIES SACRÉES
Dans la cabane de la danse du Soleil, les Dakotas accrochaient à la fourche du peuplier des objets spéciaux, faits en peau, à valeur symbolique. Ce pouvait être l'effigie d'un homme représentant un ennemi, ou d'un bison. A la fin du rituel, les danseurs tiraient des flèches sur ces figures.

Effigie de bison taillée dans un morceau de peau

Poupée crow en peau de daim remplie d'herbes aromatiques

BÊTE NOURRICIÈRE
En tant que source vitale de nourriture pour les Indiens des Plaines, le bison apparaissait souvent dans le rituel de la danse du Soleil. Par exemple, les Blackfeet et les Dakotas décoraient des crânes desséchés de bison et les garnissaient de sauge et d'herbe.

Boîte cylindrique où mettre un paquet de natoas blackfeet, parmi lesquels se trouvait habituellement une coiffure sacrée en plumes.

Bâton à fouir servant pour l'agriculture

Les yeux et le nez étaient bourrés de sauge et d'herbe, des végétaux symboliques pour que le bison s'en nourrisse.

Franges en peau

LA FEMME SACRÉE
Non seulement les femmes abattaient le peuplier, mais elles chantaient, apportaient des cadeaux aux danseurs et prenaient part aux épreuves. De plus, et c'était le plus important, les rituels de la cérémonie dépendaient de la Femme sacrée. Quiconque avait demandé une danse du Soleil devait acheter des *natoas*, pour ensuite les offrir à la Femme sacrée lors d'un rite particulier. Conservés dans un sac en peau avec un bâton à fouir, les *natoas* comprenaient des objets tels que coiffure, collier, crécelle et fards.

UNE ÉPREUVE DOULOUREUSE
Lors de la cérémonie du Soleil, les danseurs enduraient des souffrances. Certains choisissaient de se faire percer les pectoraux par de petites chevilles en bois reliées à la fourche du peuplier. Se balançant au son de la musique, soufflant dans des sifflets en os d'aigle ou même se suspendant à la fourche, ils s'efforçaient d'arracher ces chevilles de leur chair. Révolté par cette pratique, le gouvernement américain l'a interdite de 1904 à 1935.

Détail d'une peinture de Frederic Remington (1861-1906)

LE COMMERCE SUR LE PLATEAU

De nombreuses tribus vivaient sur un immense plateau qui s'étendait de la chaîne des Cascades, à l'ouest, aux Rocheuses, à l'est, et de la frontière du Canada au centre de l'Oregon et de l'Idaho. Ces Indiens habitaient des tipis couverts d'écorce en été et des maisons en partie souterraines en hiver. Ils se nourrissaient de saumon et de racines. Certains étaient commerçants ; ils échangeaient des fourrures, du chanvre, des arcs en corne contre des peaux de bisons, de beaux manteaux et des objets des Plaines. Les habitants ne découvrirent le cheval qu'au XVIIIe siècle, mais ils devinrent d'excellents éleveurs maquignons. Le négoce apporta la prospérité, mais il s'acheva avec l'arrivée des Blancs, dans les années 1830.

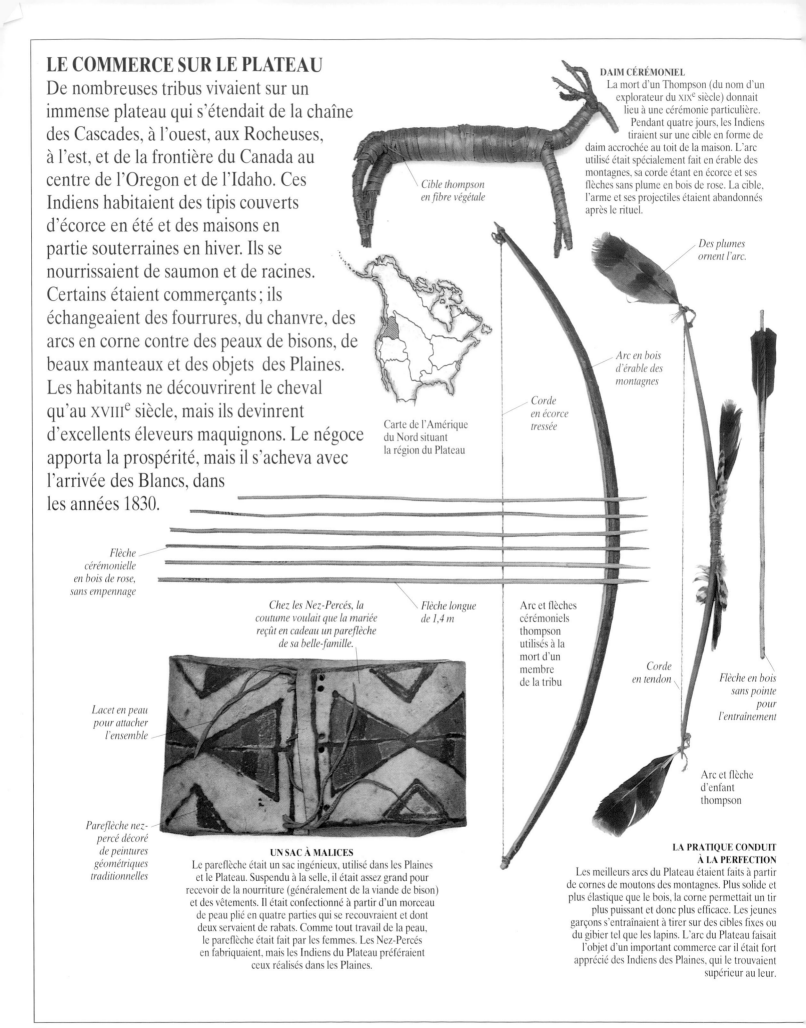

DAIM CÉRÉMONIEL
La mort d'un Thompson (du nom d'un explorateur du XIXe siècle) donnait lieu à une cérémonie particulière. Pendant quatre jours, les Indiens tiraient sur une cible en forme de daim accrochée au toit de la maison. L'arc utilisé était spécialement fait en érable des montagnes, sa corde étant en écorce et ses flèches sans plume en bois de rose. La cible, l'arme et ses projectiles étaient abandonnés après le rituel.

Cible thompson en fibre végétale

Carte de l'Amérique du Nord situant la région du Plateau

Des plumes ornent l'arc.

Arc en bois d'érable des montagnes

Corde en écorce tressée

Flèche cérémonielle en bois de rose, sans empennage

Flèche longue de 1,4 m

Arc et flèches cérémoniels thompson utilisés à la mort d'un membre de la tribu

Corde en tendon

Flèche en bois sans pointe pour l'entraînement

Chez les Nez-Percés, la coutume voulait que la mariée reçût en cadeau un pareflèche de sa belle-famille.

Lacet en peau pour attacher l'ensemble

Arc et flèche d'enfant thompson

Pareflèche nez-percé décoré de peintures géométriques traditionnelles

UN SAC À MALICES
Le pareflèche était un sac ingénieux, utilisé dans les Plaines et le Plateau. Suspendu à la selle, il était assez grand pour recevoir de la nourriture (généralement de la viande de bison) et des vêtements. Il était confectionné à partir d'un morceau de peau plié en quatre parties qui se recouvraient et dont deux servaient de rabats. Comme tout travail de la peau, le pareflèche était fait par les femmes. Les Nez-Percés en fabriquaient, mais les Indiens du Plateau préféraient ceux réalisés dans les Plaines.

LA PRATIQUE CONDUIT À LA PERFECTION
Les meilleurs arcs du Plateau étaient faits à partir de cornes de moutons des montagnes. Plus solide et plus élastique que le bois, la corne permettait un tir plus puissant et donc plus efficace. Les jeunes garçons s'entraînaient à tirer sur des cibles fixes ou du gibier tel que les lapins. L'arc du Plateau faisait l'objet d'un important commerce car il était fort apprécié des Indiens des Plaines, qui le trouvaient supérieur au leur.

LA GRANDE TRAQUE

Les incidents avec les Blancs dégénérèrent jusqu'à l'entrée en guerre des Nez-Percés, en 1877. La bande du Chef Joseph (vers 1840-1904) affronta plus d'une douzaine de fois, et déjoua quatre fois, les colonnes de l'armée américaine au cours d'une retraite vers le Canada longue de plus de 2 700 km.

Chef Joseph

LE GRAND GALOP DU PROGRÈS

Le cheval bouleversa le mode de vie des Indiens du Plateau. Il leur permit de migrer plus loin en été et d'étendre leur réseau commercial jusqu'en Californie et au cœur des Plaines. Les commerçants rapportaient non seulement des marchandises mais aussi de nouvelles habitudes prises à leurs voisins. Les Indiens du Plateau n'adoptèrent pas le travois, mais ils utilisèrent des sacs de selle comme celui-ci, qui appartint à un Thompson, un Indien du sud de la Colombie britannique, au Canada.

Motifs rouge et noir sur un sac de selle thompson

Pointe prise à l'andouiller d'un daim

COMMANDOS

Les Thompsons, comme beaucoup d'autres tribus, effectuaient des raids pour piller ou pour se venger. Sur ce gros casse-tête sont représentés trois guerriers près d'un lac. Les encoches à chaque extrémité étaient probablement décoratives, à moins qu'elles ne comptabilisent le nombre d'ennemis tués, comme le faisaient les tireurs de l'Ouest sur la crosse de leur arme.

Casse-tête thompson utilisé à la chasse au castor

Les franges en peau permettaient que l'eau s'écoulât mieux des jambes du cavalier.

À LA BARBE DU MAÏS

Les Nez-Percés étaient renommés pour leurs sacs à maïs. Entièrement de chanvre tressé, ces sacs faits à la main étaient décorés de barbes de maïs. Teintes avec des colorants naturels, ces fibres s'organisaient en figures géométriques. Souples et plats, ces sacs étaient utilisés pour porter du bois mort, des racines ou des baies sauvages. Après les chevaux, ils constituaient la meilleure source de revenus pour les Nez-Percés.

Entailles qui comptabilisent peut-être le nombre d'ennemis ou d'animaux abattus

LE GRAND BASSIN, UN DÉSERT QUI ACCUEILLE DES NOMADES

Désert brûlant en été, grondant d'orages et couvert de neige en hiver, le Grand Bassin offrait peu de ressources. Toutefois, des Indiens s'étaient adaptés à cet environnement difficile. Ils se nourrissaient de racines, de lapins, de lézards et d'insectes, et vivaient dans des habitations précaires, ce qui, au milieu du XIXe siècle, suscita le mépris des Blancs. Les nouveaux occupants ne comprenaient pas que l'agriculture était impossible dans cette région, et que le mode de vie nomade était le seul qui leur permît d'utiliser au mieux les ressources saisonnières et de récolter racines, plantes et baies sauvages.

Le Grand Bassin : Nevada, Utah, une partie de l'Oregon, de l'Idaho, du Wyoming et du Colorado

UN ARTISAN DE RENOM

Les tribus du Grand Bassin étaient connues pour leur vannerie, surtout les Washos dont les paniers étaient très appréciés des Blancs. Datsolali (1835?-1925), la plus célèbre des vannières indiennes, confectionnait des paniers aux formes délicates et décorés de motifs traditionnels d'une grande qualité.

Datsolali (son nom américain est Luisa Kayser), vannière washo du Nevada

UN CHAMAN COURAGEUX

En 1889, le chaman paiute Wovoka (son nom blanc est Jack Wilson, 1856?-1932) commença à prophétiser que, si les Indiens s'adonnaient à la danse des Esprits, les Blancs seraient balayés et le bison reviendrait ainsi que les vieilles coutumes. Bien que le message insistât sur sa non-violence, les autorités américaines s'en inquiétèrent et réagirent violemment.

DES COMMERÇANTS OBSERVATEURS

Occupant un territoire à la lisière des Plaines, les Utes commerçaient facilement avec les tribus du Plateau et des Plaines. En 1859, les Blancs en quête de mines d'argent envahirent le Nevada, et les Indiens imitèrent leurs vêtements (ci-contre, une veste brodée de perles de verre). En 1874, nombre d'Utes furent parqués dans des réserves.

Le bord du vêtement montre l'influence européenne.

Les perles de couleur dessinent un motif géométrique et dénotent la grande habileté mise en œuvre dans cette veste d'enfant ute.

Leurre de roseau fabriqué par un Paiute du Nord

Liens en fibres végétales

Frange en peau de daim

LEURRE DE LA FIN

Les Paiutes du nord-ouest du Nevada chassaient de nombreux animaux, y compris lapins, marmottes, porcs-épics. Au printemps, les oiseaux migrateurs comme le canard amélioraient l'ordinaire. Les leurres étaient faits de tiges de roseau liées ensemble avec des fibres. Placés dans les marécages non loin du chasseur à l'affût avec son arc, ils étaient assez réalistes pour inciter les volatiles de passage à se poser.

BÉBÉ À L'ABRI
La mère portait le berceau suspendu dans son dos par une anse et gardait ainsi les mains libres pour travailler. Un petit rabat protégeait la tête du bébé.

La mère glissait l'anse en peau par-dessus sa tête.

Lanière pour porter le berceau

UNE DAME COURAGE
Les intérêts des Paiutes ont été bien défendus par Sarah Winnemucca (1844-1891). Elle fit ses études chez les Blancs, puis devint interprète entre son peuple et les agents du gouvernement américain. Plus tard, elle entreprit une tournée dans l'Est pour gagner les Blancs à sa cause. Son autobiographie, parue en 1883, était un réquisitoire contre la brutalité des envahisseurs et un plaidoyer pour son peuple courageux.

Le fond du berceau est fait de tiges fines disposées sur une base en bois.

Ce sac-pendentif en forme de lézard contient un cordon ombilical.

Perles de verre décorant la peau souple du berceau

LE CORDON DE LA VIE
Les objets décoratifs indiens avaient parfois un rôle précis. Le cordon ombilical du nouveau-né était souvent placé dans un petit sac couvert de perles, suspendu au berceau ou porté en médaillon pour éloigner le mauvais sort. Ces sacs avaient la forme d'un lézard ou d'une tortue, des animaux très vivaces.

Longue frange en peau pour l'écoulement de la pluie

Fibres de yucca tressées

PORTE-BÉBÉ
Comme les Indiens des Plaines, les Paiutes portaient leur bébé dans un berceau. L'armature en jonc était recouverte d'une peau douce d'animal. Bien maintenu, l'enfant se trouvait en sécurité dans un couffin confortable que l'on pouvait attacher à la selle ou que la mère portait sur son dos. Elle le posait debout et le petit Indien voyait ce qui se passait autour de lui.

BIEN CHAUSSÉS
En été, la plupart des Indiens du Bassin allaient pieds nus, mais quelques tribus confectionnaient des sandales en écorce d'arbre tressée. Parfois, les Paiutes du Sud faisaient des mocassins en peau de daim ou des sandales en fibre de yucca. Les Kaibabs (Paiutes du Sud) ont fabriqué celles représentées ici.

LE BEAU RÊVE CALIFORNIEN

Les Indiens des années 1760 appréciaient autant la Californie que leurs successeurs, les Américains des années 1960, car, mis à part le désert Mohave, le climat est agréable et les ressources abondantes. De cent trente mille à trois cent cinquante mille Amérindiens y vivaient avant l'arrivée des Européens. Les Maidus, dans la Vallée centrale, étaient l'une des tribus les plus importantes du continent. Ignorant l'agriculture, ces Indiens étaient des chasseurs-cueilleurs pacifiques. Leurs cérémonies visaient à obtenir l'aide du monde des esprits pour s'assurer nourriture et santé. En 1769, l'arrivée des Espagnols compromit ce mode de vie, et, en 1848, la ruée vers l'or des Américains le détruisit.

Carte de l'Amérique du Nord indiquant la Californie

TOUFFE DE PLUMES
Les Maidus étaient surnommés Diggers (« ceux qui creusent ») par les Blancs parce qu'ils cherchaient des racines afin de compléter leur régime à base de glands. Ils habitaient des maisons à moitié enterrées d'une douzaine de mètres de diamètre. Lors de certaines cérémonies, hommes et femmes portaient une touffe de plumes (ci-contre).

LES MODOCS EN GUERRE
En 1864, Kientepoos, dit Captain Jack, se trouva à la tête de Modocs refusant d'aller dans une réserve. En 1872, ils affrontèrent l'armée américaine, laquelle assiégea pendant deux mois 80 Modocs réfugiés près de Tule Lake, un lac de cratère. Après avoir violé un traité de paix, Kientepoos fut pris et pendu.

Coiffure de danse maidu faite de tuyaux de plumes, de plumes, de bois et de ficelle.

L'armature du fléau pomo est faite d'une seule pièce de bois recourbée.

Les motifs peints sur cette poupée en céramique rappellent les tatouages du guerrier mohave.

Fléau fait de bouts de racines de vigne entrelacés

POUR DES GLANDS
Le territoire des Pomos s'étendait de la côte à la sierra Nevada. Les maisons, dont chacune abritait plusieurs familles, étaient faites d'une charpente composée de perches de 9 m et recouverte d'écorce. Bien que ces Indiens fussent habiles à la chasse et à la pêche, leur alimentation comprenait surtout des glands, broyés pour le repas, mais aussi des grains, des racines et des baies. Les femmes récoltaient les grains avec une sorte de fléau.

CULTIVER L'EXCEPTION
Les Mohaves étaient la seule tribu californienne à pratiquer l'agriculture (ils irriguaient les terres bordant le fleuve Colorado) et à faire la guerre. Dans les années 1890, enfermés dans une réserve, ils vendaient des souvenirs près d'une gare, comme ces poupées en terre cuite.

Chaque plume de grue est fixée à la couronne avec de la ficelle.

Un cercle de plumes coupées à la moitié forme la couronne.

Décoration simple en perles

Inhabituelle décoration en plumes sur un panier-chapeau en vannerie pomo

DE PAILLE ET DE PLUMES

Les Pomos produisaient une vannerie réputée. A la différence de beaucoup d'Indiens, les hommes autant que les femmes faisaient des paniers. Utilisant cinq matériaux ou plus (pour réaliser des motifs colorés), les vanniers pratiquaient la technique de l'enroulement et quatre sortes de tressage. De plus, usage peu commun, ils décoraient de plumes éclatantes leurs paniers.

La valeur du coquillage dépendait de sa longueur.

COIFFURE MIXTE POUR LA FÊTE

Les Maidus de la Vallée centrale portaient des coiffures compliquées pour leurs cérémonies. Seules les femmes prenaient part à la danse appelée *lo'li*. Elles portaient parfois une touffe de plumes (page ci-contre) et toujours une couronne en plumes appelée *unu'ni*. Les hommes exécutaient ensuite la danse du canard avec la même couronne (ci-dessus).

LE DERNIER DES YAHIS

En 1911, le dernier survivant de la tribu isolée des Yahis, que l'on croyait disparue depuis longtemps, arriva dans une ville de la Californie du Nord Il fut « adopté » par un anthropologue de l'Université qui l'appela Ishi. Malheureusement, l'Indien mourut de tuberculose trois ans plus tard.

MONNAIE ET BOURSE

Venues de l'extrême Nord, de l'île de Vancouver, les coquilles de dentale étaient des ornements très recherchés. Les Tolowas les commercialisaient dans le Sud et des tribus de Californie les utilisaient comme monnaie. Mais les Pomos leur préféraient d'autres coquilles, qu'ils taillaient. Des Indiens du Nord faisaient des bourses dans des andouillers d'élan (ci-dessus) qu'ils décoraient avec soin.

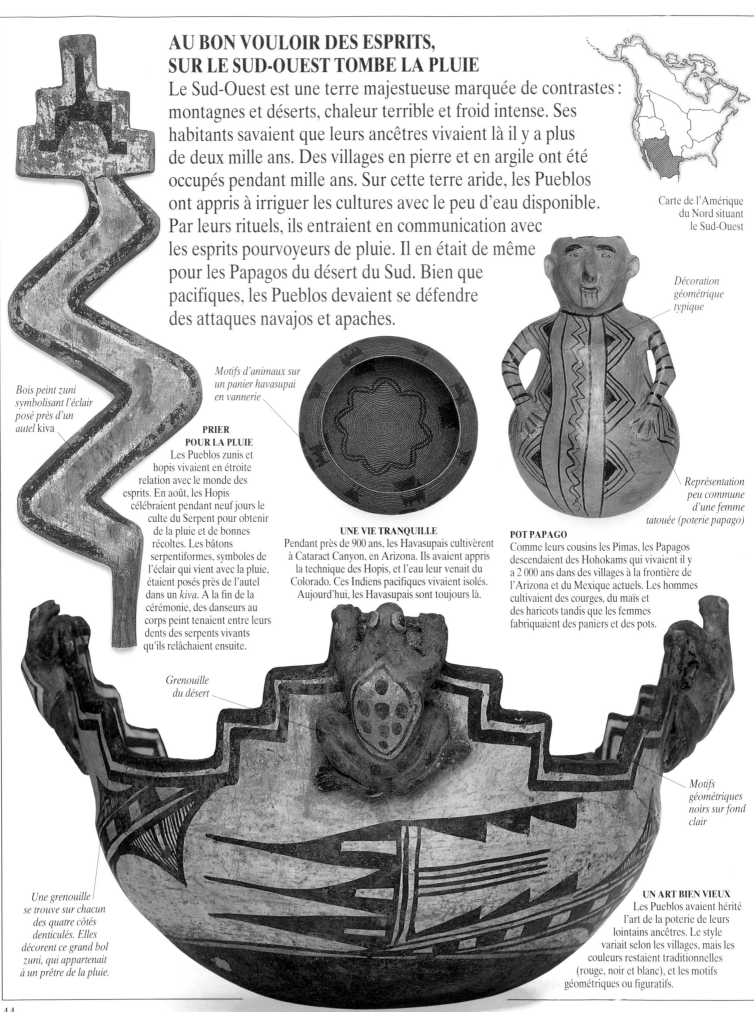

AU BON VOULOIR DES ESPRITS, SUR LE SUD-OUEST TOMBE LA PLUIE

Le Sud-Ouest est une terre majestueuse marquée de contrastes : montagnes et déserts, chaleur terrible et froid intense. Ses habitants savaient que leurs ancêtres vivaient là il y a plus de deux mille ans. Des villages en pierre et en argile ont été occupés pendant mille ans. Sur cette terre aride, les Pueblos ont appris à irriguer les cultures avec le peu d'eau disponible. Par leurs rituels, ils entraient en communication avec les esprits pourvoyeurs de pluie. Il en était de même pour les Papagos du désert du Sud. Bien que pacifiques, les Pueblos devaient se défendre des attaques navajos et apaches.

Carte de l'Amérique du Nord situant le Sud-Ouest

Bois peint zuni symbolisant l'éclair posé près d'un autel kiva

Motifs d'animaux sur un panier havasupai en vannerie

Décoration géométrique typique

PRIER POUR LA PLUIE
Les Pueblos zunis et hopis vivaient en étroite relation avec le monde des esprits. En août, les Hopis célébraient pendant neuf jours le culte du Serpent pour obtenir de la pluie et de bonnes récoltes. Les bâtons serpentiformes, symboles de l'éclair qui vient avec la pluie, étaient posés près de l'autel dans un *kiva*. A la fin de la cérémonie, des danseurs au corps peint tenaient entre leurs dents des serpents vivants qu'ils relâchaient ensuite.

UNE VIE TRANQUILLE
Pendant près de 900 ans, les Havasupais cultivèrent à Cataract Canyon, en Arizona. Ils avaient appris la technique des Hopis, et l'eau leur venait du Colorado. Ces Indiens pacifiques vivaient isolés. Aujourd'hui, les Havasupais sont toujours là.

Représentation peu commune d'une femme tatouée (poterie papago)

POT PAPAGO
Comme leurs cousins les Pimas, les Papagos descendaient des Hohokams qui vivaient il y a 2 000 ans dans des villages à la frontière de l'Arizona et du Mexique actuels. Les hommes cultivaient des courges, du maïs et des haricots tandis que les femmes fabriquaient des paniers et des pots.

Grenouille du désert

Motifs géométriques noirs sur fond clair

Une grenouille se trouve sur chacun des quatre côtés denticulés. Elles décorent ce grand bol zuni, qui appartenait à un prêtre de la pluie.

UN ART BIEN VIEUX
Les Pueblos avaient hérité l'art de la poterie de leurs lointains ancêtres. Le style variait selon les villages, mais les couleurs restaient traditionnelles (rouge, noir et blanc), et les motifs géométriques ou figuratifs.

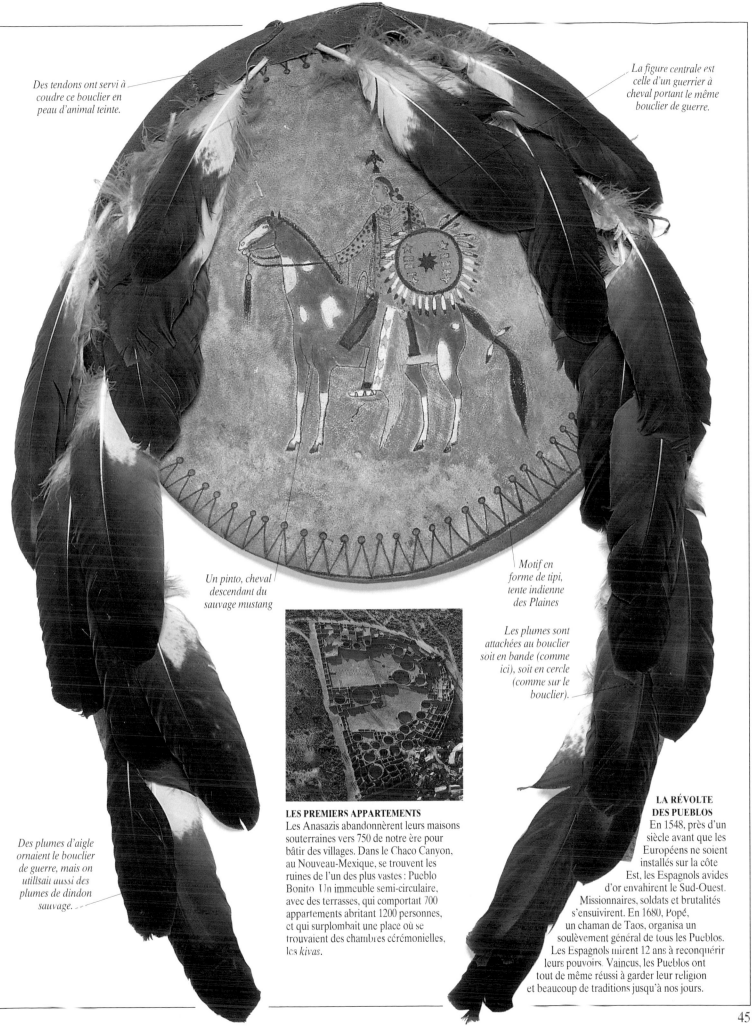

Des tendons ont servi à coudre ce bouclier en peau d'animal teinte.

La figure centrale est celle d'un guerrier à cheval portant le même bouclier de guerre.

Un pinto, cheval descendant du sauvage mustang

Motif en forme de tipi, tente indienne des Plaines

Les plumes sont attachées au bouclier soit en bande (comme ici), soit en cercle (comme sur le bouclier).

Des plumes d'aigle ornaient le bouclier de guerre, mais on utilisait aussi des plumes de dindon sauvage.

LES PREMIERS APPARTEMENTS
Les Anasazis abandonnèrent leurs maisons souterraines vers 750 de notre ère pour bâtir des villages. Dans le Chaco Canyon, au Nouveau-Mexique, se trouvent les ruines de l'un des plus vastes : Pueblo Bonito. Un immeuble semi-circulaire, avec des terrasses, qui comportait 700 appartements abritant 1200 personnes, et qui surplombait une place où se trouvaient des chambres cérémonielles, les *kivas*.

LA RÉVOLTE DES PUEBLOS
En 1548, près d'un siècle avant que les Européens ne soient installés sur la côte Est, les Espagnols avides d'or envahirent le Sud-Ouest. Missionnaires, soldats et brutalités s'ensuivirent. En 1680, Popé, un chaman de Taos, organisa un soulèvement général de tous les Pueblos. Les Espagnols mirent 12 ans à reconquérir leurs pouvoirs. Vaincus, les Pueblos ont tout de même réussi à garder leur religion et beaucoup de traditions jusqu'à nos jours.

ÉPREUVE FÉMININE
Les jeunes filles hopis étaient prêtes pour le mariage lorsqu'elles avaient passé des tests d'habileté féminine ; alors elles portaient la coiffe en forme de courge.

LES PUEBLOS ABRITENT PLUSIEURS TRIBUS

Au sommet de plateaux rocheux, non loin des rares rivières du Sud-Ouest, se trouvent des villages en pierre et en adobe qui furent occupés pendant mille ans. De nos jours, des Indiens en habitent encore une trentaine, du Rio Grande au nord de l'Arizona. Au début du XVIe siècle, les explorateurs espagnols baptisèrent ces habitants Pueblos (« villages »), cette dénomination incluant les Hopis et les Zunis. Plusieurs tribus occupaient des villages indépendants où l'on parlait des langues différentes. Les Indiens cultivaient courges, haricots et maïs. Leur vie était conduite par les « katchinas », des esprits incarnés dans les hommes qui gouvernaient la communauté, portant des masques et exécutant des danses sacrées.

DRÔLE D'OISEAU
Vers 500 av. J.-C., les Anasazis produisirent de petites poteries zoomorphes. Les potiers zunis fabriquèrent les mêmes 1 300 ans plus tard (ci-dessus).

LES CADEAUX DES « KATCHINAS »
Le 26 juin, 5 jours après le solstice d'été, débutait une fête hopi, le Niman, pour assurer une bonne récolte. Pendant 16 jours, des rites solennels accompagnés de prières pour la pluie fêtaient le retour des *katchinas* du monde des esprits. Le départ des *katchinas* se marquait par des cadeaux symboliques tels que épis de maïs, arcs et flèches.

LA CHASSE AU LAPIN
En automne et en hiver, la chasse au lapin était à la fois un sport et un rituel pour les Hopis. Les chasseurs formaient un cercle de 1 km de circonférence, puis le rétrécissaient progressivement jusqu'à pouvoir frapper les animaux avec leurs bâtons (à gauche). Ceux-ci étaient faits d'un morceau de bois courbé et plat, souvent décoré, et se comportaient comme des boomerangs qui ne reviendraient pas.

Un pigment naturel décore ce bâton à chasser le lapin.

Les tendons collés à l'arc servaient à le renforcer.

Aholi accompagne Aototo, le chef hopi des *katchinas*, à travers le village.

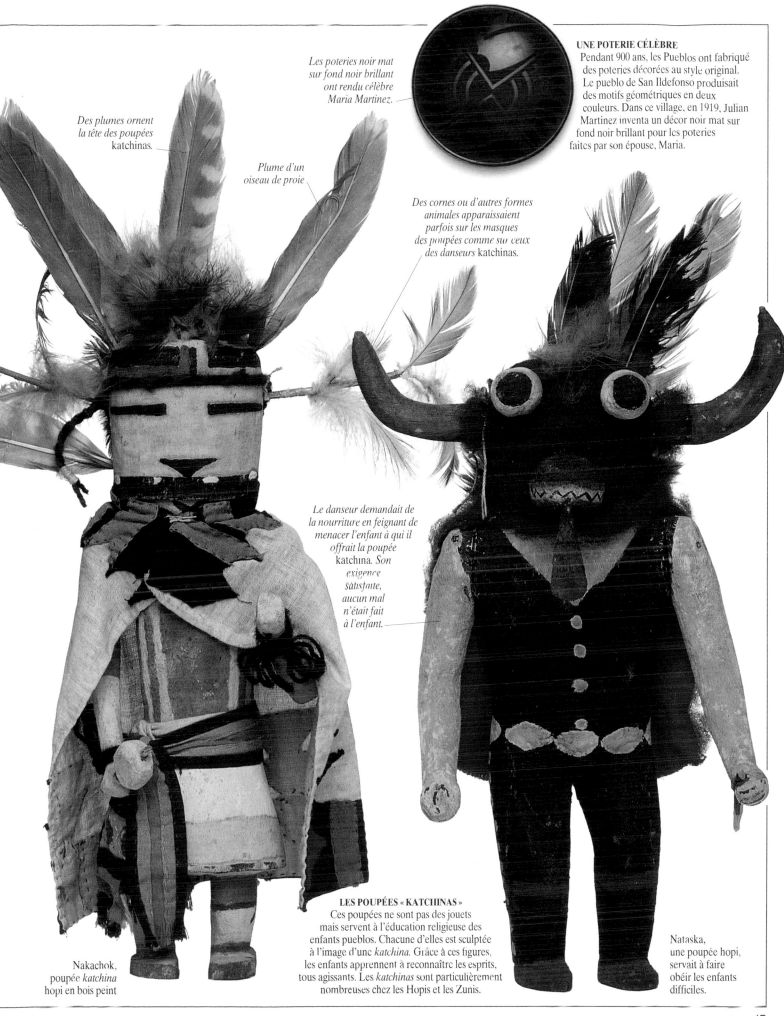

Des plumes ornent
la tête des poupées
katchinas.

Les poteries noir mat
sur fond noir brillant
ont rendu célèbre
Maria Martinez.

Plume d'un
oiseau de proie

UNE POTERIE CÉLÈBRE
Pendant 900 ans, les Pueblos ont fabriqué des poteries décorées au style original. Le pueblo de San Ildefonso produisait des motifs géométriques en deux couleurs. Dans ce village, en 1919, Julian Martinez inventa un décor noir mat sur fond noir brillant pour les poteries faites par son épouse, Maria.

Des cornes ou d'autres formes
animales apparaissaient
parfois sur les masques
des poupées comme sur ceux
des danseurs katchinas.

Le danseur demandait de
la nourriture en feignant de
menacer l'enfant à qui il
offrait la poupée
katchina. Son
exigence
satisfaite,
aucun mal
n'était fait
à l'enfant.

Nakachok,
poupée *katchina*
hopi en bois peint

LES POUPÉES « KATCHINAS »
Ces poupées ne sont pas des jouets mais servent à l'éducation religieuse des enfants pueblos. Chacune d'elles est sculptée à l'image d'une *katchina*. Grâce à ces figures, les enfants apprennent à reconnaître les esprits, tous agissants. Les *katchinas* sont particulièrement nombreuses chez les Hopis et les Zunis.

Nataska,
une poupée hopi,
servait à faire
obéir les enfants
difficiles.

APACHES, NAVAJOS, TERRE ET GUERRE

DES BIJOUTIERS
Les Navajos étaient réputés pour leur bijouterie, dont ce bracelet en cuir et en argent orné d'une turquoise.

Les montagnes arides et les déserts du Sud-Ouest devinrent le territoire des Apaches et des Navajos quand ils arrivèrent du Nord-Ouest au XVe siècle. Chasseurs et guerriers, ces Indiens firent des raids chez les Pueblos et, plus tard, chez les Espagnols qui s'établissaient vers le Nord à partir du Mexique. Toutefois, ces contacts répétés leur permirent d'apprendre des techniques agricoles. Les Navajos vivaient de l'agriculture, de l'élevage des moutons et des raids jusqu'à ce que les Américains, aidés de Kit Carson (1809-1868), les obligent à se rendre en 1864. Ils repensèrent leur manière de vivre et ajoutèrent à leur artisanat le travail de l'argent. Certains Apaches se firent agriculteurs, mais les autres restèrent guerriers et chasseurs. Ennemis redoutés, ils firent régner la terreur jusqu'à leur défaite vers 1880.

UN GUERRIER BÂILLEUR
Goyaathle (« Celui qui bâille ») fut baptisé Géronimo (1829-1909) par les Mexicains. Le plus célèbre des guerriers apaches combattit l'invasion américaine dans les années 1860. Pris en 1877, il fut assigné à la réserve de San Carlos, en Arizona. Il s'échappa en 1881 et fit des raids terribles dans les villages mexicains et américains. Il fut photographié (ci-dessus, à l'extrême droite) juste avant sa reddition, en 1886.

LE MEILLEUR MOYEN DE MARCHER
Plutôt que de porter des mocassins et des pantalons, les Apaches se chaussaient du « mocassin long », une botte souple faite d'une seule pièce de peau de daim ou d'antilope, qui les protégeait des épines. Habituellement, les bottes des hommes montaient au-dessus du genou, celles des femmes s'arrêtaient en dessous.

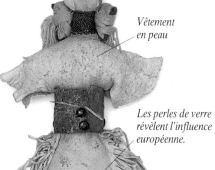

Vêtement en peau

Les perles de verre révèlent l'influence européenne.

Clous d'argent décoratifs

Pierre du casse-tête apache

Décoration soignée en perles de couleur

Lacet en peau pour attacher ce « mocassin long » d'enfant au-dessous du genou

Perles décoratives

La peau qui recouvre le manche en bois permet une meilleure prise en main.

Fouet navajo en crins de cheval teints

MA POUPÉE FAVORITE
Les jouets apaches, comme ceux de tous les enfants, imitaient le monde des adultes. Cette poupée en chiffon est coiffée à la manière d'une jeune fille hopi non mariée. Lorsqu'une jeune Apache devenait pubère, une cérémonie rituelle de quatre jours avait lieu, pendant laquelle on chantait et on festoyait. Comme chez les Hopis la jeune fille apprenait les tâches futures d'une femme plus âgée, puis elle faisait une course pour montrer sa force et son courage. C'était alors qu'elle se trouvait prête pour le mariage.

CHEVAL DE BATAILLE
Comme tous les autres Indiens, Navajos et Apaches ne connaissaient pas le cheval jusqu'à ce que les Espagnols l'introduisent au XVe siècle. Néanmoins, ils apprirent vite à l'élever et à l'utiliser, surtout pour la guerre. Le fouet navajo, à l'extrême droite, est pareil à la cravache utilisée par les cow-boys et les vaqueros mexicains. Le casse-tête apache était une arme de corps à corps et celui ci-contre est très bien décoré.

Traverse haute

Ecarteur de fils

Fils de laine teinte

Les lisses séparent les fils de chaîne.

Le peigne tasse les fils de trame.

Le motif en forme de diamant est apparu dans les années 1870.

TISSER DES LIENS
Les Navajos racontaient comment la Femme-Araignée (un être surnaturel du Peuple Saint) avait appris à tisser aux femmes. Cet art se transmit de mère en fille pendant des générations. Le bâton de croisure, qui sépare les fils de chaîne, et le peigne, qui sert à tasser les fils de trame, restaient dans la famille d'une génération à l'autre. Tous les biens du clan, chez les Navajos, passaient également de mère en fille.

Blague à tabac apache en perles et frangée de cônes en métal

Lanière décorative en peau

Les fils de laine tiennent l'ouvrage à la traverse basse.

L'ÉLÈVE DÉPASSE LE MAÎTRE
Les Navajos apprirent des Pueblos le tissage à la fin du XVIIe siècle. Ils se servaient alors de la laine des moutons volés aux Espagnols. A partir de la seconde moitié du XIXe siècle, les textiles navajos furent commercialisés dans tout l'Ouest. Les couvertures en laine avaient des motifs imbriqués aux couleurs traditionnelles. A la fin du même siècle, les artisans s'adaptèrent au goût des Américains et décorèrent leurs couvertures de motifs pittoresques comme celui ci-dessus. Le tissage navajo est aujourd'hui connu dans le monde entier.

Ornement en queue de vache teinte

DE PERLES ET DE SAULE
Les Apaches n'étaient pas connus par leur poterie comme les Hopis ou par le tissage et le travail de l'argent, comme les Navajos. Cependant, leurs femmes produisaient de beaux paniers en tiges de saule et des objets joliment décorés de perles, comme cette blague à tabac.

PAPAGOS ET PIMAS FONT FLEURIR LE DÉSERT

Il y a plus de deux mille ans, dans les déserts de ce qui est devenu l'Arizona et le nord du Mexique, les Hohokams avaient créé un système d'irrigation. Leurs descendants sont les Pimas et les Papagos. Héritiers des connaissances sur l'irrigation, les Pimas construisirent des villages près des rivières Salt et Gila où ils cultivèrent maïs, courges et haricots, y ajoutant le blé au XVIIIe siècle. Les récoltes abondantes leur permirent de ravitailler les mineurs de Californie et l'armée de l'Union au cours de la guerre de Sécession (1861-1865). Habitants du désert, les Papagos, dépendant des rares précipitations qui irriguaient leurs cultures, restèrent semi-nomades. Avec le fruit fermenté du saguaro (un cactus), ils faisaient un vin utilisé dans des rituels. Les deux peuples adoraient deux êtres surnaturels, le Frère Aîné et le Créateur de la Terre, et leurs cérémonies étaient identiques.

Le traditionnel crapaud cornu décore ce panier pima.

DURS À L'USURE
Les paniers étaient extrêmement solides. En forme de bol, ils servaient à conserver le maïs, plus larges et évasés, ils recevaient les fruits cueillis au sommet du saguaro. Les motifs zoomorphes apparurent au XVIIIe siècle.

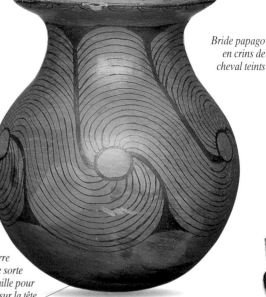

L'ART DE LA VANNERIE
La belle vannerie était considérée comme un art par les Pimas. La technique traditionnelle consistait à enrouler des fibres de saule autour de tiges de fléoles des prés. Quelquefois, le panier était si grand que l'artisan devait se mettre dedans pour l'achever ! Des motifs contrastant avec le fond étaient dessinés à l'aide de fibres noires de bicornes. Les ornements de la vannerie papago subirent l'influence espagnole.

SUR LA BRIDE
Les Papagos étaient semi-nomades en raison de la rareté de l'eau dans leur territoire. Ils se déplaçaient à cheval de leur villégiature estivale, dans le désert, à celle hivernale proche des sources des montagnes.

Bride papago en crins de cheval teints

Une peau décorée de plumes recouvre ce bouclier en bois papago.

SIMULACRES DE COMBATS
Lors de cérémonies, Papagos et Pimas simulaient des combats où des boucliers comme celui-ci étaient utilisés. Ces deux peuples n'étaient pas belliqueux comme les Apaches, mais ils pensaient que, la guerre étant inévitable, il fallait être bon guerrier. Pendant la guerre de Sécession, les Pimas défendaient l'Arizona au profit de l'Union et repoussaient les forces confédérées. Après 1865, ils servirent comme éclaireurs dans l'armée américaine et prirent part aux campagnes contre les Apaches.

SIMPLE ET RAFFINÉ
Comme les autres peuples du Sud-Ouest, les Papagos et les Pimas faisaient de la poterie. Mais comparés à ceux des Hopis et des Zunis leurs motifs étaient plus simples.

Le fond rond de cette jarre permet de l'ajuster sur une sorte de couronne en paille pour la porter sur la tête.

De nombreuses
plumes d'aigle
ornent cette cagoule
de clown.

Plumes
d'un oiseau
de proie

Les trous pour les
yeux et la bouche
sont ourlés
de fil solide.

Cagoule
de clown sacré
papago vue
de face

Cagoule
de clown sacré
papago vue
de dos

Des rubans
pendent
de la coiffure.

POUR DE BONNES RÉCOLTES
Des cérémonies pimas et papagos
avaient pour objet la seule
préoccupation vitale : l'abondance
des récoltes sur une terre aride. Dans
chaque village, un homme, le Gardien
de la Fumée, avait la charge des cultes.
Tous les quatre ans, deux tribus
célébraient la Viikita pour assurer
de bonnes moissons. Des danseurs
habillés et masqués, les clowns sacrés,
rappelaient que les hommes
dépendaient de la terre,
du climat et des esprits.

DE L'EAU DANS L'ALCOOL
Comme ils vivaient dans le désert, les
Papagos avaient des cérémonies pour faire
venir la pluie. Ils se rendaient dans des lieux
où ils croyaient que résidaient ses esprits
pour leur demander de revenir sur leur
territoire. Chaque été, les Papagos
accomplissaient un rite où ils buvaient
beaucoup de vin de cactus : ils croyaient que
les effets de l'alcool effrayaient les démons,
ce qui plaisait aux esprits de la pluie.

Les motifs noirs
sur le devant de la cagoule
(faite d'un sac de farine)
symbolisent les nuages de pluie.

Lacet en crins
de cheval tressés,
décoré de tissu
rouge.

DES TOTEMS COMME DES ARBRES GÉNÉALOGIQUES

Une extraordinaire culture se développa dans le Nord-Ouest, entre les sombres forêts et l'océan. Les peuples de cette région n'eurent jamais besoin de s'adonner à l'agriculture car la mer leur fournissait tout ce qu'il fallait. Le commerce des richesses naturelles leur apporta la prospérité et leur laissa du temps pour élaborer un art complexe. Des tribus, telles que les Haïdas et les Tlingits, étaient divisées en deux groupes et en multiples clans. Ces Indiens affirmaient descendre d'esprits. La richesse associée à la fierté d'une lignée explique le goût pour la hiérarchie sociale qui s'exprimait dans les sculptures en bois uniques en Amérique : les totems.

Carte de l'Amérique du Nord situant le Nord-Ouest

Tête de corbeau sur tête d'ours

Coquilles d'ormeaux incrustées dans un manche d'ivoire

Le lacet en cuir servait à attacher le couteau au poignet.

Lame de fer d'un couteau tlingit

Sculptures fines et élégantes sur un casse-tête haïda à flétan

RAIDS ARMÉS

Les tribus du Nord-Ouest effectuaient des raids pour piller des villages, ramener des esclaves ou, comme les Tlingits, étendre leur territoire. Les guerriers portaient des casques en bois et des armures faites de plaquettes du même matériau liées entre elles. Leurs armes étaient l'arc, le casse-tête, le couteau. Ce dernier eut d'abord une lame en pierre ou en os, puis en fer. On l'attachait au poignet pendant l'affrontement.

LA PÊCHE AU FLÉTAN

Les Haïdas étant des insulaires, ils furent naturellement pêcheurs. Les flétans étaient pris à la ligne de fond. Ramené à la surface, le poisson était assommé au casse-tête car, pesant environ 180 kg, il risquait en remuant de faire chavirer le canot. Le tronc évidé d'un cèdre géant formait l'embarcation dont la proue était décorée d'une sculpture abstraite.

La sculpture du sommet de ce totem haïda représente un corbeau.

Des sculptures ouvragées décorent cette maquette de tombe haïda.

LA DERNIÈRE DEMEURE

La mort d'un Haïda donnait lieu à une cérémonie dans sa maison durant quatre, cinq ou six jours. On sortait le cercueil contenant le corps par une ouverture réservée à cet usage. On déposait alors la dépouille dans une maison funéraire aussi grande qu'une habitation normale et marquée avec un mât cérémoniel.

LA MAISON DE MA MÈRE

Les habitations du Nord-Ouest, immenses, étaient faites de planches de cèdre. Dans une maison habitaient plusieurs familles. Chaque lignée de cette société matrilinéaire (qui ne reconnaît que l'ascendance maternelle) occupait un espace en fonction de son rang, la place d'honneur étant à l'opposé de l'entrée. Une forêt de mâts sculptés racontait le lignage de chaque famille, certains de ces mâts indiquant des maisons funéraires.

Petite grenouille sculptée

HÉRALDIQUE INDIENNE

Les totems n'étaient pas des idoles, comme le croyaient les missionnaires, mais des monuments chargés d'indiquer le rang des familles en rappelant leur lignage. Chaque famille avait son histoire qui la disait issue d'un esprit en forme d'animal, comme le corbeau, le loup, l'ours ou l'aigle. Sculpter ces figures légendaires était un devoir familial au même titre que porter ses armoiries dans l'Europe médiévale.

Mât totémique fait dans un tronc de cèdre

Les sculptures du bas représentent les alliances matrimoniales et les événements importants de la famille.

Ce mât mesure 6 m de haut, mais un totem entier peut dépasser 12 m.

J'AI DU BON TABAC

A l'origine, les tribus de la côte nord-ouest chiquaient le tabac. Les pipes en pierre ou en bois dur, avec un fourneau en métal, apparurent au début du XIXᵉ siècle et seuls les hommes fumaient. Cette pipe sculptée, décorée d'ormeaux, représente deux loups peints, qui sont un emblème familial tlingit.

Hibou à cornes sculpté au tiers supérieur d'un totem haïda

Tête d'un oiseau de proie

Dessins des plumes de l'oiseau

Petit totem haïda

NOS ANCÊTRES

Habituellement, la sculpture du sommet d'un totem représentait les ancêtres du plus haut rang. En bas se trouvaient figurés les alliances matrimoniales, d'autres événements familiaux importants, ainsi que les emblèmes tribal et clanique. Ces derniers faisaient aussi apparaître le rang et les privilèges. Un étranger en quête d'hospitalité savait tout de suite quelle famille était apparentée à la sienne.

DES DANSES ET DES MASQUES POUR DES RITES

Au cours d'une cérémonie d'hiver, dans la lumière vacillante des feux d'une grande maison du Nord-Ouest, deux arts majeurs, la danse et la sculpture des masques, participaient au rite. Les danses, exécutées par les membres d'une société secrète pour initier un jeune, réaffirmaient les liens entre les ancêtres et les esprits. Les danseurs portaient des masques pour symboliser le pouvoir et la présence permanente du monde spirituel. La cérémonie tenait à la fois du rituel et du théâtre, car les danseurs usaient d'effets dramatiques pour raconter une histoire. L'appartenance à l'une de ces sociétés, le droit de danser et la possession du masque étaient des privilèges dans une société très hiérarchisée. Les chamans, hommes et femmes, lors de leurs rituels de guérison, portaient aussi des masques.

Masque kwakiutl ouvert

La représentation à l'intérieur du masque symbolise l'esprit du clan des ancêtres.

On tirait la cordelette passant au-dessus des yeux et dans les joues pour ouvrir le masque.

Crécelle haïda en bois en forme de faucon

Le bec s'ouvre lorsqu'on tire sur la barre.

Lorsqu'il est fermé, ce masque kwakiutl donne à voir une tête d'aigle.

Les yeux de l'oiseau sont en coquille d'ormeau.

Sur le manche, trois sorciers se préparant à de mauvaises actions sont gardés par une chèvre des montagnes.

AU SON DES CRÉCELLES

Les chamans étaient respectés pour les pouvoirs qu'ils recevaient du monde surnaturel par l'intermédiaire de leur génie tutélaire. Ils appelaient celui-ci en agitant une crécelle sculptée d'images sacrées. Comme l'on croyait que la maladie était causée par des esprits, parfois contrôlés par un sorcier, le rôle du chaman était de guérir. Il était payé pour organiser une cérémonie durant laquelle il chassait l'esprit malin et identifiait le sorcier.

Un mort dont la langue, protubérante, est prise dans le bec d'un aigle-pêcheur.

Le corbeau apporte la lumière au monde en libérant la balle rouge (le soleil).

DES SOCIÉTÉS SECRÈTES

Les Kwakiutls furent probablement à l'origine des sociétés secrètes qui ont essaimé dans tout le Nord-Ouest. Eux-mêmes en possédaient trois : la Société de la Danse, représentant les esprits violents et menaçants ; la Dluwulaxa, en relation avec les esprits du ciel ; la Nutlam, dont l'ancêtre était l'esprit du loup. Hamatsa, un esprit cannibale, était l'être le plus important dans la Société de la Danse. Durant la cérémonie qui l'évoquait, les danseurs, très considérés, portaient des masques étranges. Chez les Kwakiutls, le rituel d'hiver, qui se prolongeait durant quatre mois à partir de novembre, avait pour objet d'obtenir la protection d'un être surnaturel pour les jeunes gens non initiés. Ces derniers rejoignaient ensuite la Société.

Crécelle de chaman tlingit en bois représentant un huîtrier-pie

Crécelle tlingit en bois en forme de corbeau

L'esprit a une expression presque humaine.

A l'intérieur de la tête de l'oiseau sont peints un œil, des fosses nasales et un bec.

Le visage serait entièrement humain si le nez n'avait l'apparence d'un bec.

DERRIÈRE LE MASQUE

Sans relation avec les cérémonies d'hiver, certaines danses étaient exécutées uniquement pour distraire une maisonnée privilégiée. Ce masque kwakiutl ingénieux (la tête d'oiseau se transforme en celle d'un homme) était porté au cours de ces divertissements. Il tenait à la tête du danseur grâce à des tendons tressés. Chacun des deux côtés de la tête de l'oiseau est relié à une cordelette, un troisième lien maintenant la mâchoire inférieure. En agissant sur les ficelles, le danseur passait de l'apparence d'un esprit aigle à celle d'un visage de guerrier.

Masque du soleil bella coola

Le soleil est entouré de quatre visages ovales, chacun flanqué d'une paire de mains.

Le visage sphérique sculpté représente le soleil.

DANSER POUR LA SOCIÉTÉ

Les Bella Coolas vivaient dans le nord de la Colombie britannique, au Canada, entre deux groupes de Kwakiutls. On devenait membre de la Société de la danse héréditairement, et par là même on accédait à un haut rang social très convoité. A la quatrième nuit de la cérémonie d'hiver, les membres accomplissaient des danses apprises des esprits du ciel. Portant des masques figurant les esprits, les danseurs mimaient avec ardeur des histoires inspirées des croyances de la tribu. Les masques sculptés étaient si étonnants qu'il était parfois difficile de les identifier à des esprits.

LA PUISSANCE DU POTLACH

Dans le Nord-Ouest, s'enrichir permettait de grimper les échelons de l'échelle sociale si l'on accomplissait le rite du potlach. Celui-ci voulait que le nouveau riche distribue jusqu'à une centaine de cadeaux à des invités pour obtenir le droit d'accéder à un rang plus élevé ou d'acquérir des privilèges. Cette cérémonie n'entraînait pas la ruine, car le donneur serait invité à un autre potlach où il recevrait à son tour des présents en fonction de son rang. Dans une société qui connaissait de fortes rivalités internes, le potlach évitait les tensions. Cette coutume existe toujours. Le gouvernement canadien l'a abrogée de 1884 à 1951, date à laquelle les Kwakiutls, passant outre, l'ont remise à l'honneur.

Vibrisses d'otarie

Coquille d'ormeau incrustée

Castor en bois sculpté avec une libellule sur le ventre

Plume de pivert

Coiffure haïda qui dénotait la richesse de son propriétaire

COIFFURE HAÏDA
Les tribus de la côte nord-ouest employaient leurs talents à fabriquer de belles parures pour le potlach. Au XIXe siècle, les Haïdas imitèrent les coiffures de danse de leurs voisins du Nord. Une coiffure comme celle ci-dessus était portée avec une couverture chilkat (ci-dessous).

Blason familial gravé dans un large cuivre haïda

Peau d'hermine

CADEAU DE CHEF
Une plaque de cuivre étant le signe d'une grande richesse, l'offrir honorait autant celui qui la donnait que celui qui la recevait. Parfois, dans un geste magnifique, un chef brisait délibérément une plaque, comme le fait ce chef, ci-contre, en l'honneur de son fils et de ses descendants. La rivalité entre dirigeants pouvait être si grande que l'un d'eux brisait une plaque pour en donner les morceaux à son rival. Si celui-ci, en retour, n'en faisait pas autant sinon plus, il était déshonoré.

CUIVRE CONTRE FOURRURE
En forme de bouclier, les plaques en métal gravé, appelées cuivres, étaient des cadeaux très recherchés lors des potlach. Bien que les plaques de cuivre aient été à l'honneur parmi les tribus de la côte nord-ouest avant l'arrivée des Européens, elles le devinrent davantage encore au cours du XIXe siècle, lorsque ces peuples les reçurent en échange de fourrure.

Chef Tutlidi et son fils à Fort Rupert, en 1894

PARURES DE POTLACH

Les couvertures chilkats et les habits de danse (à droite) avaient beaucoup de valeur. Des femmes tlingits les tissaient en laine de chèvre des montagnes et en écorce de cèdre. Les tisserands étaient grassement rémunérés par le commanditaire, car il fallait exhiber ces vêtements en signe de richesse. Les habits étaient transmis aux parents et l'hôte du potlach les portait d'une manière ostentatoire, jusqu'à en offrir des morceaux à ses invités pour les honorer.

Chaque anneau du chapeau indique une participation à un potlach.

Les hommes peignaient des modèles de blason que les femmes reproduisaient en tissage.

LE COUVRE-CHEF

Des potlachs avaient lieu lors du mariage d'un chef, de l'inauguration de la nouvelle maison d'un clan ou de l'enterrement d'un vieux chef. Le chef de la maisonnée devait alors faire en sorte de nourrir toute sa parenté ainsi que ses relations. Au potlach, le chef, qui portait le chapeau cérémoniel (ci-contre) et un costume, tenait le rôle de hérault et de maître des cérémonies ; c'est lui qui faisait les invitations.

Décoration en peau d'hermine

QUELLE FÊTE !

Le potlach donnait lieu à une fête qui durait parfois 12 jours. L'hôte devait offrir beaucoup plus de nourriture que ne pouvaient en ingurgiter les invités, mais ceux-ci, par politesse, mangeaient jusqu'à en être malades. Les aliments (viande de phoque, poisson, baies et légumes, le tout assaisonné avec de l'huile de poisson) étaient servis dans de la vaisselle dont ce plat en forme d'ours est un bel exemple.

Le plat tlingit en forme de tête d'ours est décoré de coquilles d'ormeau

Plat de fête tlingit en forme d'ours

DU BEAU TRAVAIL

La vaisselle d'apparat, en bois et magnifiquement sculptée, était aussi un signe du rang et de la richesse de la famille. Le plat le plus grand, qui pouvait avoir la taille (et la forme) d'un petit canoë, était placé devant le chef des invités, qui mangeait avec une cuillère en bois ou en corne de chèvre. Les autres convives étaient servis avec des louches dans des plats plus petits (ci-dessus un exemple tlingit).

De fines lanières de racines de sapin sont utilisées pour fabriquer ce chapeau tlingit.

Corbeau peint symbolisant le blason familial

Le chapeau était confectionné par temps pluvieux pour que les matériaux employés ne soient pas trop secs.

CHASSER DANS LE GRAND NORD

La vie dans le territoire subarctique exigeait ingéniosité et courage. Les étés étaient courts et les hivers rigoureux dans les profondes forêts du Nord et dans la toundra. Sur cette terre impitoyable, chasser et pêcher occupaient trente tribus nomades. Les Chipewyans dépendaient du caribou qu'ils suivaient dans ses migrations. Les Ojibwas chassaient en forêt où ils se déplaçaient de campements d'hiver à camps d'été. Les Naskapis de la taïga (forêt de conifères) vivaient du caribou, de l'élan et du castor. La viande et le poisson se conservaient par le séchage ou le fumage. Toutes ces tribus connaissaient le wigwam, les raquettes pour se déplacer dans la neige, le canoë en écorce de bouleau et les vêtements en peau.

Carte de l'Amérique du Nord situant la région subarctique

Le capuchon protégeait la tête de l'enfant ojibwa du froid de l'hiver.

Lacet en peau

Fourrures de lapin cousues

L'ESPRIT DE L'OURS

Les Indiens chassaient l'ours tout en le redoutant à cause des pouvoirs qu'ils lui attribuaient. Son crâne leur servait de charme car l'esprit de l'animal y était présent. Le chasseur demandait toujours à l'esprit de l'ours l'autorisation de le tuer ; il lui expliquait qu'il avait besoin de se nourrir et donc de faire bonne chasse.

De simples traits peints sur le crâne honorent l'esprit de l'ours.

CHAUD DEDANS !

L'hiver, les Indiens portaient des vêtements (manteaux, moufles, jambières ou pantalons, mocassins et bonnets) en peau tannée de caribou avec les poils à l'intérieur. Parfois, les enfants se contentaient de fourrure de lapin. Quant au style, des différences existaient entre les tribus de l'Est et celles de l'Ouest. Par exemple, les unes ornaient chacun de leurs manteaux d'un seul motif rouge, tandis que les autres utilisaient des piquants de porc-épic, des coquillages et des perles.

Les perles révèlent l'influence des Européens.

Cordon fait de tendons tressés

On grattait les peaux avec un os pointu de caribou.

Blague à tabac slavey

BLAGUE À TABAC

Les esprits, à la fois bienveillants et malins, étaient apaisés par des prières et des offrandes de tabac (la fumée, en s'élevant, les réconfortait). Le tabac était très important dans la vie religieuse et cérémonielle. On en donnait pour inviter à une cérémonie ou à une fête, et ce cadeau honorait celui qui le recevait.

LA FEMME QUI TANNE

La tâche ingrate de préparer les peaux incombait aux femmes. À l'aide d'un os de caribou coupé en deux, comme celui-ci, chipewyan, elles grattaient la chair et parfois les poils. Une préparation à base de cervelle de caribou servait au tannage. Une fois lavée, la peau était mise à sécher sur un cadre, puis travaillée à la main pour l'assouplir. Pour finir, on l'exposait à la fumée.

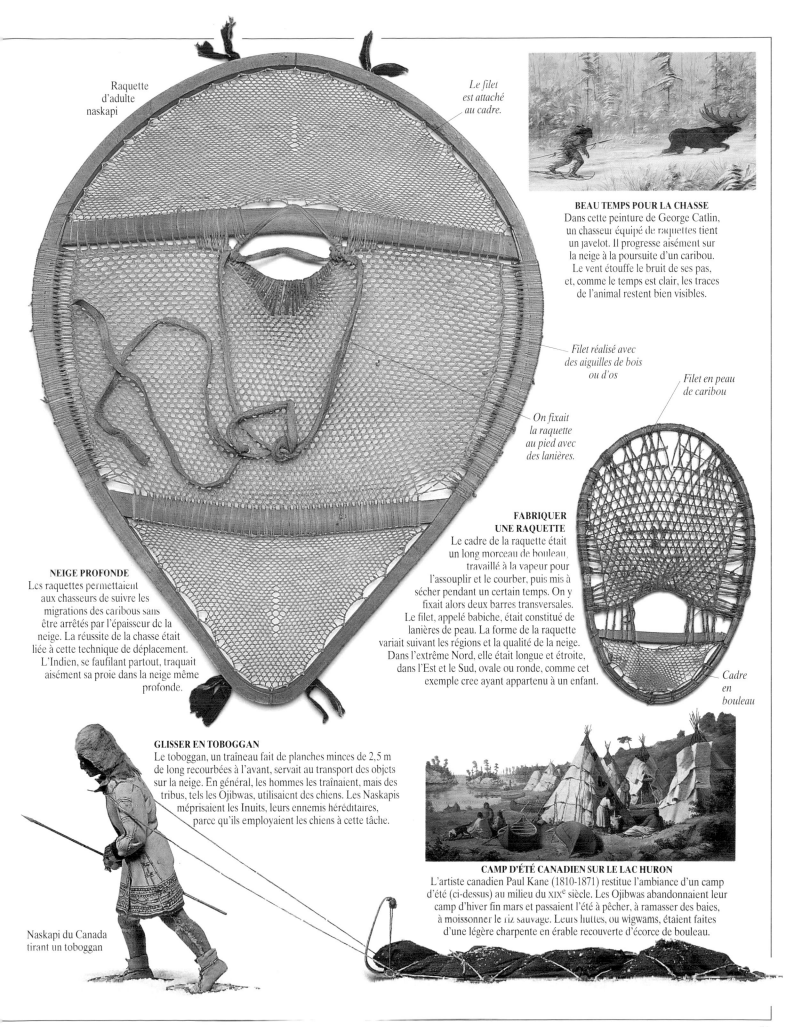

Raquette
d'adulte
naskapi

*Le filet
est attaché
au cadre.*

BEAU TEMPS POUR LA CHASSE
Dans cette peinture de George Catlin,
un chasseur équipé de raquettes tient
un javelot. Il progresse aisément sur
la neige à la poursuite d'un caribou.
Le vent étouffe le bruit de ses pas,
et, comme le temps est clair, les traces
de l'animal restent bien visibles.

*Filet réalisé avec
des aiguilles de bois
ou d'os*

*Filet en peau
de caribou*

*On fixait
la raquette
au pied avec
des lanières.*

**FABRIQUER
UNE RAQUETTE**
Le cadre de la raquette était
un long morceau de bouleau,
travaillé à la vapeur pour
l'assouplir et le courber, puis mis à
sécher pendant un certain temps. On y
fixait alors deux barres transversales.
Le filet, appelé babiche, était constitué de
lanières de peau. La forme de la raquette
variait suivant les régions et la qualité de la neige.
Dans l'extrême Nord, elle était longue et étroite,
dans l'Est et le Sud, ovale ou ronde, comme cet
exemple cree ayant appartenu à un enfant.

*Cadre
en
bouleau*

NEIGE PROFONDE
Les raquettes permettaient
aux chasseurs de suivre les
migrations des caribous sans
être arrêtés par l'épaisseur de la
neige. La réussite de la chasse était
liée à cette technique de déplacement.
L'Indien, se faufilant partout, traquait
aisément sa proie dans la neige même
profonde.

GLISSER EN TOBOGGAN
Le toboggan, un traîneau fait de planches minces de 2,5 m
de long recourbées à l'avant, servait au transport des objets
sur la neige. En général, les hommes les traînaient, mais des
tribus, tels les Ojibwas, utilisaient des chiens. Les Naskapis
méprisaient les Inuits, leurs ennemis héréditaires,
parce qu'ils employaient les chiens à cette tâche.

Naskapi du Canada
tirant un toboggan

CAMP D'ÉTÉ CANADIEN SUR LE LAC HURON
L'artiste canadien Paul Kane (1810-1871) restitue l'ambiance d'un camp
d'été (ci-dessus) au milieu du xixᵉ siècle. Les Ojibwas abandonnaient leur
camp d'hiver fin mars et passaient l'été à pêcher, à ramasser des baies,
à moissonner le riz sauvage. Leurs huttes, ou wigwams, étaient faites
d'une légère charpente en érable recouverte d'écorce de bouleau.

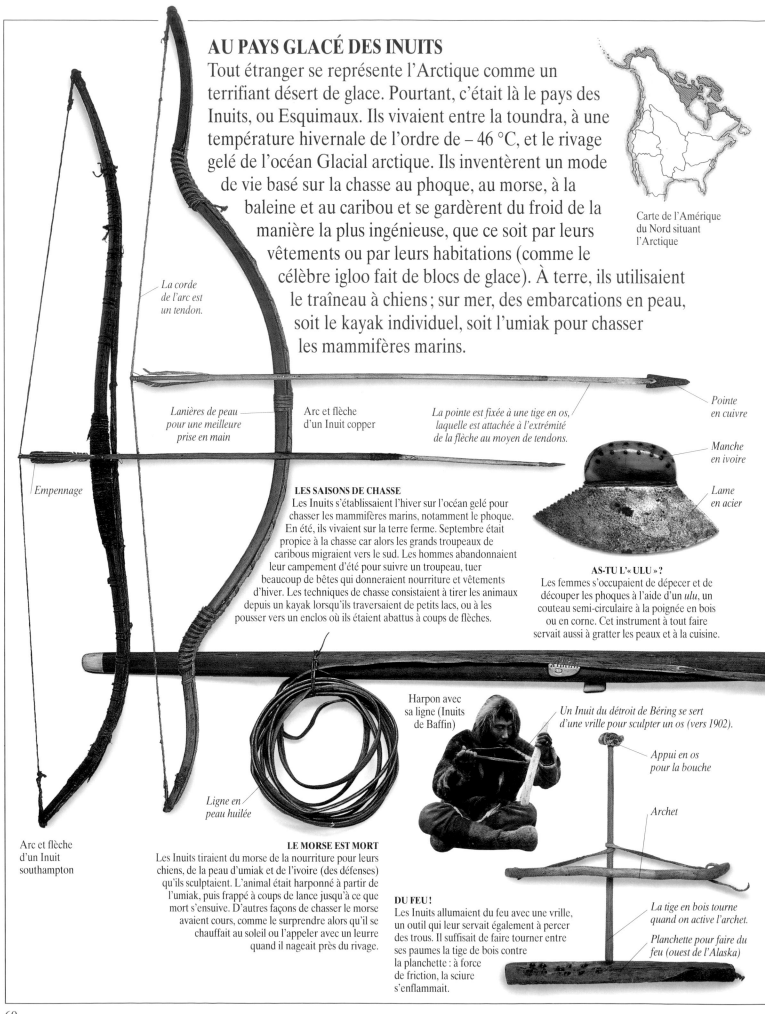

AU PAYS GLACÉ DES INUITS

Tout étranger se représente l'Arctique comme un terrifiant désert de glace. Pourtant, c'était là le pays des Inuits, ou Esquimaux. Ils vivaient entre la toundra, à une température hivernale de l'ordre de – 46 °C, et le rivage gelé de l'océan Glacial arctique. Ils inventèrent un mode de vie basé sur la chasse au phoque, au morse, à la baleine et au caribou et se gardèrent du froid de la manière la plus ingénieuse, que ce soit par leurs vêtements ou par leurs habitations (comme le célèbre igloo fait de blocs de glace). À terre, ils utilisaient le traîneau à chiens ; sur mer, des embarcations en peau, soit le kayak individuel, soit l'umiak pour chasser les mammifères marins.

Carte de l'Amérique du Nord situant l'Arctique

La corde de l'arc est un tendon.

Lanières de peau pour une meilleure prise en main

Arc et flèche d'un Inuit copper

La pointe est fixée à une tige en os, laquelle est attachée à l'extrémité de la flèche au moyen de tendons.

Pointe en cuivre

Empennage

Manche en ivoire

Lame en acier

LES SAISONS DE CHASSE
Les Inuits s'établissaient l'hiver sur l'océan gelé pour chasser les mammifères marins, notamment le phoque. En été, ils vivaient sur la terre ferme. Septembre était propice à la chasse car alors les grands troupeaux de caribous migraient vers le sud. Les hommes abandonnaient leur campement d'été pour suivre un troupeau, tuer beaucoup de bêtes qui donneraient nourriture et vêtements d'hiver. Les techniques de chasse consistaient à tirer les animaux depuis un kayak lorsqu'ils traversaient de petits lacs, ou à les pousser vers un enclos où ils étaient abattus à coups de flèches.

AS-TU L'« ULU » ?
Les femmes s'occupaient de dépecer et de découper les phoques à l'aide d'un *ulu*, un couteau semi-circulaire à la poignée en bois ou en corne. Cet instrument à tout faire servait aussi à gratter les peaux et à la cuisine.

Harpon avec sa ligne (Inuits de Baffin)

Un Inuit du détroit de Béring se sert d'une vrille pour sculpter un os (vers 1902).

Appui en os pour la bouche

Ligne en peau huilée

Archet

Arc et flèche d'un Inuit southampton

LE MORSE EST MORT
Les Inuits tiraient du morse de la nourriture pour leurs chiens, de la peau d'umiak et de l'ivoire (des défenses) qu'ils sculptaient. L'animal était harponné à partir de l'umiak, puis frappé à coups de lance jusqu'à ce que mort s'ensuive. D'autres façons de chasser le morse avaient cours, comme le surprendre alors qu'il se chauffait au soleil ou l'appeler avec un leurre quand il nageait près du rivage.

DU FEU !
Les Inuits allumaient du feu avec une vrille, un outil qui leur servait également à percer des trous. Il suffisait de faire tourner entre ses paumes la tige de bois contre la planchette : à force de friction, la sciure s'enflammait.

La tige en bois tourne quand on active l'archet.

Planchette pour faire du feu (ouest de l'Alaska)

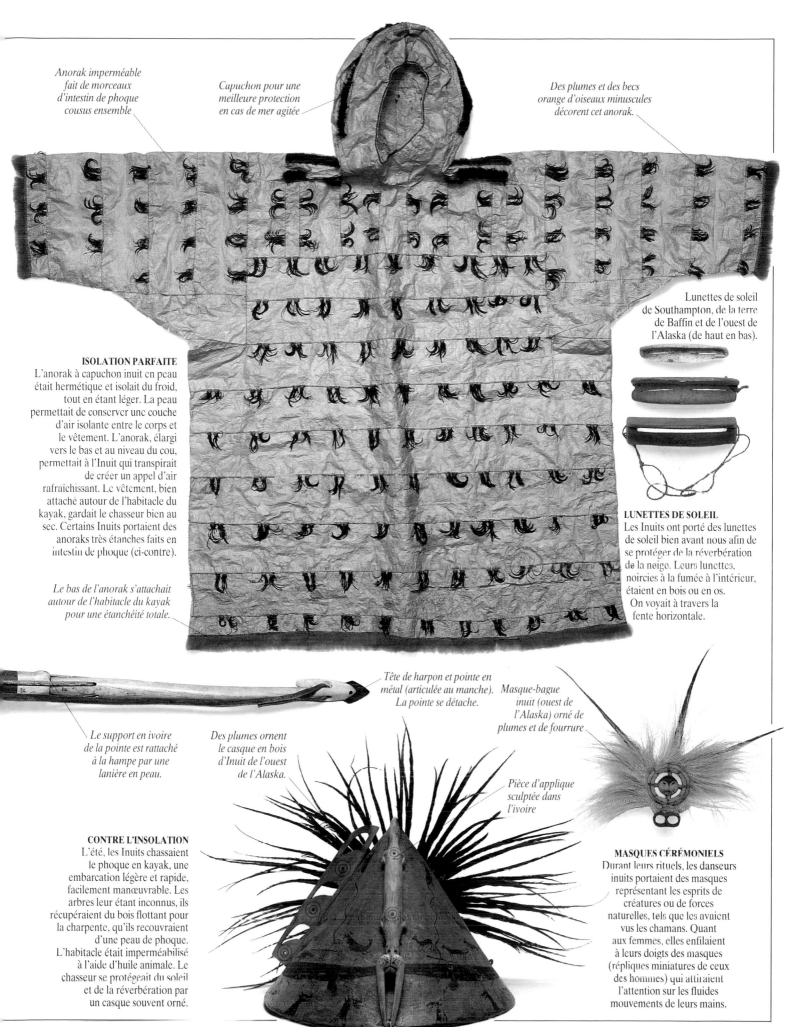

Anorak imperméable
fait de morceaux
d'intestin de phoque
cousus ensemble

Capuchon pour une
meilleure protection
en cas de mer agitée

Des plumes et des becs
orange d'oiseaux minuscules
décorent cet anorak.

Lunettes de soleil
de Southampton, de la terre
de Baffin et de l'ouest de
l'Alaska (de haut en bas).

ISOLATION PARFAITE
L'anorak à capuchon inuit en peau
était hermétique et isolait du froid,
tout en étant léger. La peau
permettait de conserver une couche
d'air isolante entre le corps et
le vêtement. L'anorak, élargi
vers le bas et au niveau du cou,
permettait à l'Inuit qui transpirait
de créer un appel d'air
rafraîchissant. Le vêtement, bien
attaché autour de l'habitacle du
kayak, gardait le chasseur bien au
sec. Certains Inuits portaient des
anoraks très étanches faits en
intestin de phoque (ci-contre).

Le bas de l'anorak s'attachait
autour de l'habitacle du kayak
pour une étanchéité totale.

LUNETTES DE SOLEIL
Les Inuits ont porté des lunettes
de soleil bien avant nous afin de
se protéger de la réverbération
de la neige. Leurs lunettes,
noircies à la fumée à l'intérieur,
étaient en bois ou en os.
On voyait à travers la
fente horizontale.

Tête de harpon et pointe en
métal (articulée au manche).
La pointe se détache.

Masque-bague
inuit (ouest de
l'Alaska) orné de
plumes et de fourrure

Le support en ivoire
de la pointe est rattaché
à la hampe par une
lanière en peau.

Des plumes ornent
le casque en bois
d'Inuit de l'ouest
de l'Alaska.

Pièce d'applique
sculptée dans
l'ivoire

CONTRE L'INSOLATION
L'été, les Inuits chassaient
le phoque en kayak, une
embarcation légère et rapide,
facilement manœuvrable. Les
arbres leur étant inconnus, ils
récupéraient du bois flottant pour
la charpente, qu'ils recouvraient
d'une peau de phoque.
L'habitacle était imperméabilisé
à l'aide d'huile animale. Le
chasseur se protégeait du soleil
et de la réverbération par
un casque souvent orné.

MASQUES CÉRÉMONIELS
Durant leurs rituels, les danseurs
inuits portaient des masques
représentant les esprits de
créatures ou de forces
naturelles, tels que les avaient
vus les chamans. Quant
aux femmes, elles enfilaient
à leurs doigts des masques
(répliques miniatures de ceux
des hommes) qui attiraient
l'attention sur les fluides
mouvements de leurs mains.

ÊTRE INDIEN AUJOURD'HUI AUX ÉTATS-UNIS

Beaucoup d'Américains pensaient, il y a un siècle, que les Indiens disparaîtraient, soit naturellement, soit en s'intégrant. Mais cela ne s'est pas réalisé. Aujourd'hui, la moitié des 2,5 millions d'Indiens des États-Unis et du Canada vivent dans des réserves. Mais tous font revivre leurs traditions et tentent de se faire reconnaître dans une nation multiculturelle. La politique des gouvernements amcrïcain et canadien, même si elle est bien intentionnée, tend à faire des Indiens des assistés alors que les ressources naturelles des réserves sont pillées par les grandes compagnies. Cette situation est cause de chômage, de désespoir, de maladie et du taux d'analphabétisme le plus élevé d'Amérique du Nord. Depuis les années 1970, des militants se sont engagés dans des actions spectaculaires, mais rien ne remplace les lois pour obtenir réparation des droits perdus. Aujourd'hui, nombre d'Indiens espèrent revenir aux formes traditionnelles de leur liberté.

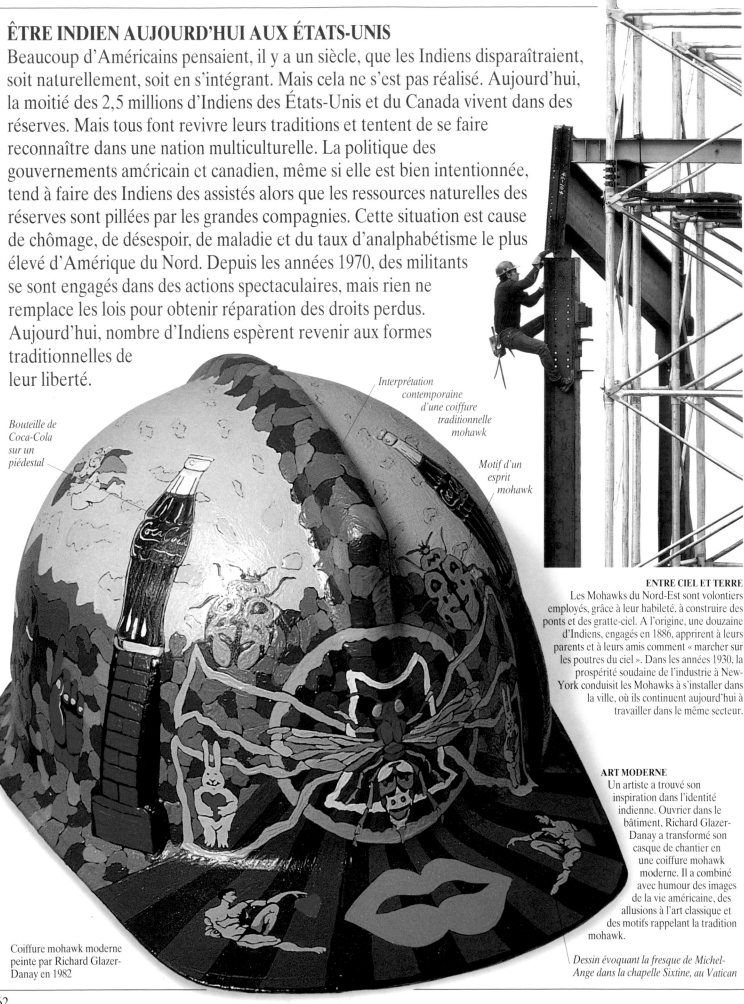

Bouteille de Coca-Cola sur un piédestal

Interprétation contemporaine d'une coiffure traditionnelle mohawk

Motif d'un esprit mohawk

Coiffure mohawk moderne peinte par Richard Glazer-Danay en 1982

ENTRE CIEL ET TERRE
Les Mohawks du Nord-Est sont volontiers employés, grâce à leur habileté, à construire des ponts et des gratte-ciel. A l'origine, une douzaine d'Indiens, engagés en 1886, apprirent à leurs parents et à leurs amis comment « marcher sur les poutres du ciel ». Dans les années 1930, la prospérité soudaine de l'industrie à New-York conduisit les Mohawks à s'installer dans la ville, où ils continuent aujourd'hui à travailler dans le même secteur.

ART MODERNE
Un artiste a trouvé son inspiration dans l'identité indienne. Ouvrier dans le bâtiment, Richard Glazer-Danay a transformé son casque de chantier en une coiffure mohawk moderne. Il a combiné avec humour des images de la vie américaine, des allusions à l'art classique et des motifs rappelant la tradition mohawk.

Dessin évoquant la fresque de Michel-Ange dans la chapelle Sixtine, au Vatican

LE GANG DES « GANS »
D'anciennes cérémonies, comme la danse de la Neige des Mescaleros, gardent un sens pour les Apaches. Les danseurs au corps peint, portant des masques et des coiffures, représentent les esprits de la montagne, les *gans*. Dirigés par un chaman, les *gans* accomplissent un rituel pour éloigner les esprits malfaisants ou guérir un malade. Moins sérieusement, les *gans* viennent distraire les invités de la fête de quatre jours, qui marque la puberté d'une jeune fille.

Femme navajo faisant cuire du pain dans un four traditionnel

HÉRITIERS DES TRADITIONS
Plus de 200 000 Navajos vivent sur 6 millions d'hectares dans leur réserve de l'Arizona, du Nouveau-Mexique et de l'Utah, la plus grande des Etats-Unis. Ce peuple s'est longtemps interrogé sur la manière d'accepter le mode de vie américain. Le conseil tribal continue à se réunir, et des cérémonies restent importantes dans la vie tribale. Les arts traditionnels, comme le tissage et le travail de l'argent, sont une source de revenus importante.

LES BÉNÉFICES DU JEU
Profitant de leur autonomie dans leurs réserves (confirmée par une loi du Congrès de 1988), des Indiens ont ouvert 33 casinos à travers le pays. L'argent du jeu donne du travail, et les bénéfices sont employés au logement, aux écoles et à la santé. Toutefois, la manière d'investir ces capitaux divise les tribus, et certains responsables redoutent que le jeu conduise à de mauvais comportements.

LE POUVOIR DU POW-WOW
Quoique jamais complètement délaissés, les pow-wows connaissent aujourd'hui une renaissance sous la forme de week-ends de fête appréciés de beaucoup d'Indiens (90 % des participants). Près d'un millier de ces manifestations se sont tenues en 1993. A ces occasions, différentes tribus se sont réunies pour exécuter des danses traditionnelles ou plus modernes.

LA VOLONTÉ D'APPRENDRE
Depuis 1960, les gouvernements américain et canadien ouvrent régulièrement des crédits pour les programmes d'éducation gérés par les tribus elles-mêmes. De nouvelles écoles, où l'anglais et la langue tribale sont enseignés, permettent aux enfants d'être scolarisés.

Enfants ojibwas à un pow-wow (fête traditionnelle)

RÉUNION TRIBALE DANS LE NORD-OUEST
Dans les années 1970, des groupes juridiques ont porté leurs affaires devant la Commission américaine des terres, fondée en 1946. Ces procès sont nés du non-respect des traités signés dans le passé. Les Lakotas ont ainsi reçu en dédommagement 105 millions de dollars. En 1991, le gouvernement canadien et les Inuits ont signé un accord laissant à ces derniers la gérance de leur territoire.

INDEX

NOTES

Dorling Kindersley remercie :
Le American Museum of Natural History, plus spécialement : Anibal Rodriguez et Judith Levinson (anthropologie) ; John Davey (publications) ; Deborah Barral, Mark Gostnell, Lize Mogel, Alan Walker, Marco Hernandez et Rob Muller (expositions) ; Joe Donato, Tony Macaluso, Martin Daly, Eadwinn Brookes et Aldwin Phillip ; Eddy Garcia. Leslie Gerhauser (assistante photographe). Sally Rose. Helena Spiteri, Tim Button, Sophy D'Angelo, Ivan Finnegan, Kati Poyner et Susan St. Louis pour leur aide éditoriale et artistique.
Dave King et Kate Warren pour les photographies supplémentaires, Museum of Mankind.
Graphisme : John Woodcock

ICONOGRAPHIE

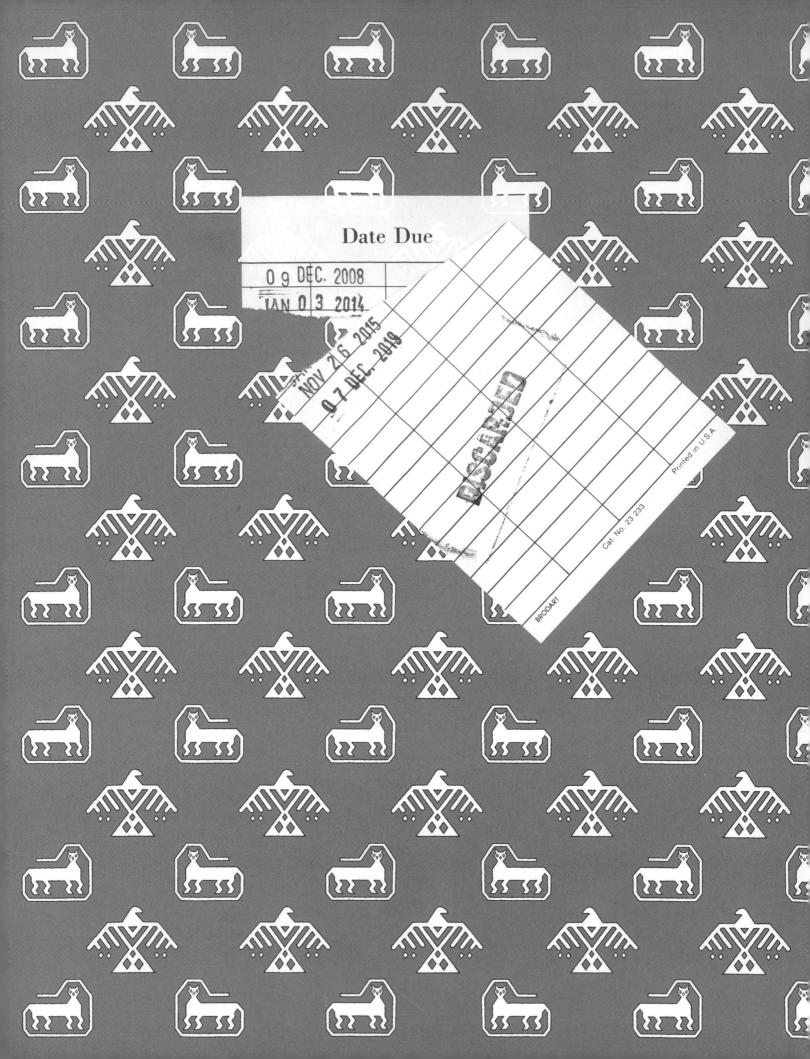